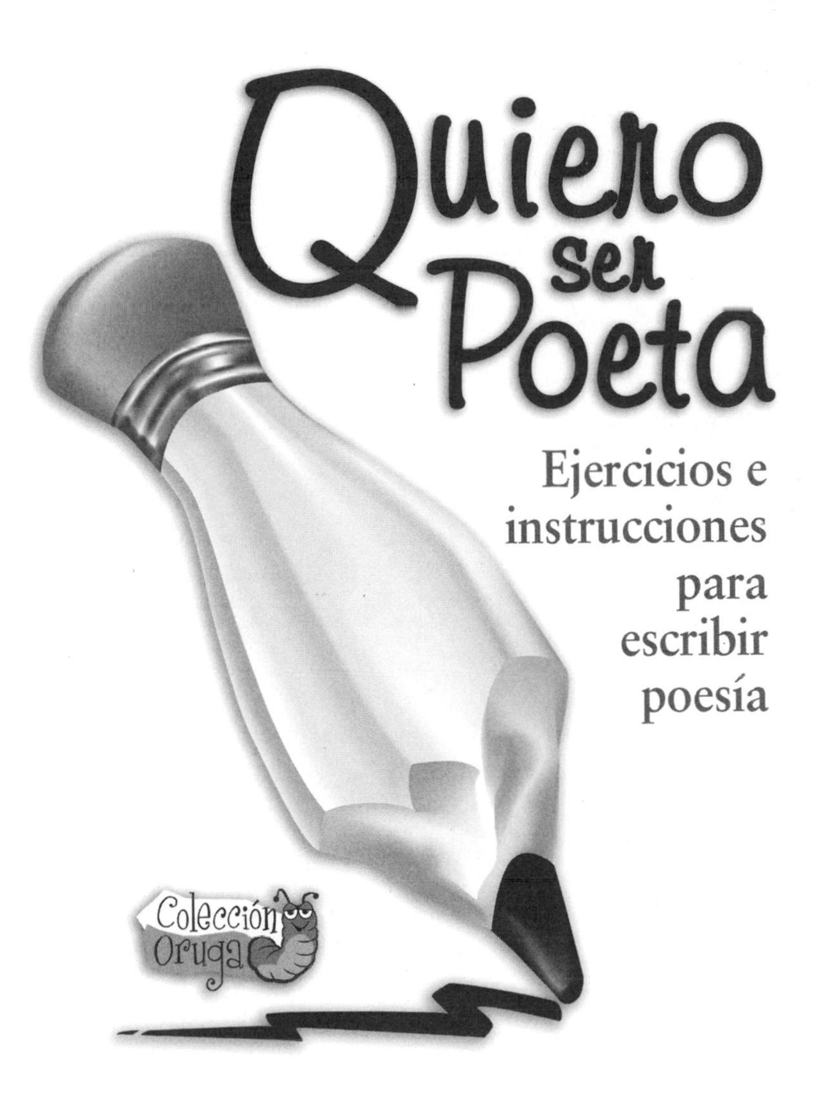

Quiero ser Poeta

Ejercicios e instrucciones para escribir poesía

AUTORES de LETRAROJA PUBLISHER

Rafael García Jolly (Leafar)
José Antonio Carbonell (J.A. Carbonell)
Antonia Moreno (Arcoiris)
María Dolores Torres Bañuls (Lola)

ORLANDO, FLORIDA

QUIERO SER POETA

Ejercicios e instrucciones para escribir poesía

Publicado por LetraRoja Publisher
PO BOX 770039
Orlando, Florida 32877-0039
www.letrarojapublisher.com

Proyecto, edición y coordinación de autores Dr. Miguel A.Castro

Cubierta: Tamara Dever
Diseño Interior: Erin Stark

Primera Edición 2007

ISBN 978-9785841-0-8

Número de Control Librería del Congreso 2007923445

LCCN

Impreso USA

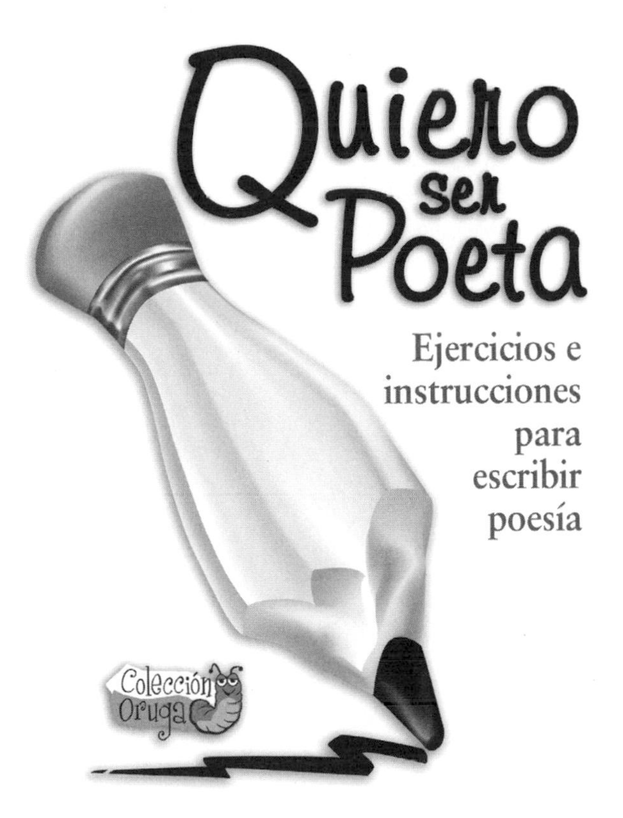

Ejercicios e instrucciones para escribir poesía

AUTORES de LETRAROJA PUBLISHER

Rafael García Jolly (Leafar)
José Antonio Carbonell (J.A. Carbonell)
Antonia Moreno (Arcoiris)
María Dolores Torres Bañuls (Lola)

ORLANDO, FLORIDA

Índice

Nota del Editor

¿Qué es este libro? Como bien lo indica su título, una recopilación de ejercicios e instrucciones de cómo escribir poesía. Un sueño plasmado en papel de un grupo de autores de alrededor del mundo que por primera vez, y sin conocerse personalmente, unieron sus esfuerzos para lograr esta obra con un solo propósito: promover nuestra cultura hispana. Originalmente se visualizó dirigirlo a nuestros hermanos residentes en los Estados Unidos, donde generaciones de hispanos están perdiendo la esencia de nuestro idioma. El grupo, luego de muchas discusiones, acordó crear una serie de libros dirigidos a nuestros niños y jóvenes para promover el uso de nuestra lengua vernácula. Así nace Colección Oruga, y ¿qué mejor género literario que la poesía para estimular esa creación innata que nos caracteriza? Una vez se finalizó la obra nos percatamos de que era un texto que podía difundirse en otras latitudes del mundo hispano para el beneficio de muchos más lectores que, estamos seguros, verán en este libro un reconfortante espacio para iniciarse en la práctica poética.

No ha sido fácil coordinar este trabajo colectivo cuando nos separan miles de kilómetros de distancia, pero gracias al empeño de este grupo de autores finalmente se logró la obra. LetraRoja Publisher les da las gracias a María Dolores Torres

Bañuls (España), Antonia Moreno (Alemania), José Antonio Carbonell (España), que con su inmenso talento escribieron esta obra. Junto a ellos Rafael García Jolly (México), que además de contribuir en gran parte a la escritura de la misma fue el encargado de coordinar todo el proyecto. A todos muchas gracias.

De igual forma agradecemos a la revista literaria Camagua y a su director, Juan Ramón Martos, que con mucho agrado se comprometió a publicar aquellos poemas enviados por los niños participantes en la sección "Lápices de Colores," de su revista. Reconocemos también a sus integrantes: Vicente Antonio Vásquez, Ramón Ocampo Férnandez, Eva María Muñoz, María Luisa Viladoms, Agustín González, Rosario Barros y Lucía García San Miguel, que actualmente se encuentran trabajando para completar el resto de la Colección Oruga.

Especial agradecimiento a Ediciones del Plenilunio y sus editores, Carlos Bustos y Dra. Cecilia Eudave por su valioso asesoramiento en la culminación de esta obra.

—Dr. Miguel A.Castro

Prefacio

La revolución tecnológica que caracteriza al mundo moderno se ha vuelto parte de la vida cotidiana. La televisión y los videojuegos en poco contribuyen al desarrollo cultural y emocional de los niños, que se ven bombardeados por temas de violencia y con un lenguaje deformado.

La comunidad hispana ha venido perdiendo parte de sus raíces, se ha dejado de enseñar el español en los Estados Unidos y los hijos de inmigrantes tienen una marcada influencia del idioma inglés.

En medio de esta vorágine surge en Camagua, auspiciado por LetraRoja Publisher, la idea de rescatar la riqueza del castellano, mediante el desarrollo de una serie de libros que proporcionen a los niños de habla hispana un vehículo para acercarse a la cultura y la creatividad, mediante un contacto poco común a la literatura.

La *Colección Oruga* fue concebida con el propósito de despertar en el niño el interés por los diferentes géneros literarios, pero no sólo como lector, sino que se le invita a ejercer su creatividad estimulándolo a escribir sus propias obras.

Quiero ser poeta es la primera entrega de esta serie de libros donde se muestran los diferentes conceptos de la poesía, uti-

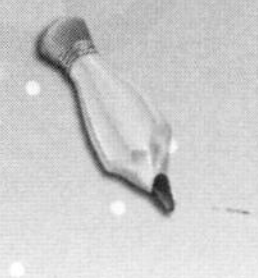

lizando un lenguaje de fácil comprensión y un tratamiento lúdico que le permitan al niño entender y apreciar este género literario y lo lleven de la mano —junto con Trofa, una pequeña oruga, hija de un poeta— a escribir sus primeros poemas.

Aunque este proyecto fue pensado para niños a partir de los 8 años, su utilización no queda restringida a los pequeños, sino que servirá de guía a todos aquéllos que quieren aprender los conceptos básicos de la poesía.

Este libro fue escrito por poetas de diferentes nacionalidades, que radican tanto en América como en Europa y que cuentan con varios libros publicados.

Escribir para niños no es escribir en pequeño, como tampoco fue pequeño el esfuerzo para coordinar la escritura de los diferentes capítulos, homologar criterios y lograr un estilo uniforme a lo largo de toda la obra.

—Rafael García Jolly

Introducción

Hola, mi nombre es Trofa y soy una oruga... Sí, de ésas que después se convierten en mariposa. ¿Que por qué me pusieron así? Es una larga historia y te la platicaré con un poema que me escribió mi papá, que es poeta.

• • • • • •

TROFA, LA ORUGA

Entre los libros de versos
una oruga muy pequeña
con la tinta y el papel
insaciable se alimenta.

Mas sucede que el poeta
aparece de repente
entrando en la biblioteca
y comiendo la sorprende.

—¿Quién eres tú, tan pequeña,
y por qué mis libros comes?
—¡Mala es el hambre, mi amigo!
¡Yo te ruego me perdones!

—¡Comiste toda una estrofa!
—repite el hombre entre dudas,
mas llega entonces su esposa
que, extrañada, le pregunta:

—¿Cómo se llama esa oruga
tan pequeña y adorable?
—el poeta no la oye
y repite, imperturbable:

—¡Estrofa te digo! ¡Estrofa...!
La mujer lo entiende mal
creyendo que ése era el nombre
del diminuto animal.

—Así que Trofa se llama
esta pequeña criatura.
¿Quieres vivir con nosotros?
—ilusionada, pregunta.

Trofa llora de alegría.
Por un guiño del azar,
no sólo ya tiene nombre;
también encontró un hogar.

Con el paso de los años
y con algo de paciencia,
el poeta le ha enseñado
los secretos de su ciencia.

Trofa ya no es sólo oruga;
es poetisa y es maestra,
y en las páginas siguientes
te enseñará a ser poeta.

—J.A.Carbonell

Ahora que ya sabes por qué me llamo Trofa, quiero hablarte un poco sobre este libro. Será como tu primera enciclopedia de Poesía donde podrás aprender todo lo que siempre has

querido saber sobre este hermoso mundo de los versos, de las rimas, de la expresión y del arte literario.

Cuando un ser humano hace una obra de arte, ya sea pintor, escultor, poeta o arquitecto, trata de comunicarse con todos los demás seres humanos sobre la tierra. ¿En qué idioma lo hace? ¿Cuál es ese idioma mágico que logra que todos los humanos se entiendan? Ese idioma es la belleza, el lenguaje del arte.

Por eso es tan importante el arte. Por ejemplo, un pintor para hacer arte, ¿necesita...? ¡Exacto! Pinturas y pinceles. ¿Un escultor? Piedras, cinceles y martillo. ¿Un cantante? Su voz. Un poeta sólo necesita palabras para mandar mensajes de belleza a mucha gente y aquí te vamos a decir cómo hacerlo. Te va a gustar, te convertirás en un niño poeta y con el tiempo serás un adulto poeta, creador de belleza y diversión y ratos bonitos para todos los que lean tus poemas.

¡Te recomiendo que utilices una libreta en blanco para realizar los ejercicios, que copies los poemas sin escribir en el libro, así podrán utilizarlo otros niños!

Yo te acompañaré todo el camino a lo largo de este libro, para que juntos aprendamos los trucos y consejos que se necesitan para ser un buen poeta. Te vas a sentir muy bien cuando veas sonreír a todas las personas que quieres cuando lean tus primeros poemas.

Juntos iremos descubriendo de qué se trata la poesía y cómo está compuesta, jugaremos con el ritmo, la rima y la métrica, aprenderemos algunas de las diferentes formas de poemas que existen y, lo más importante, nos divertiremos juntos.

En este libro encontrarás una fascinante información, y atractivas actividades que podrás utilizar para aprender mientras te diviertes. Al principio de cada capítulo te diré qué materiales necesitas para que tú y yo juguemos a ser poetas.

¡Adelante! ¡Sígueme!

CAPÍTULO UNO

¿Qué es poesía?

Materiales

Para desarrollar las actividades de este capítulo necesitarás lápiz, colores, borrador y tu libreta.

Escribir poesía es la magia de jugar con las palabras, incluso inventarse nuevas maneras de nombrar las cosas más comunes de la Tierra. Darle formas y colores a lo que prefieras. Un poeta es un mago que transforma lo que ve y lo que siente en una hoja de papel, para expresar con imaginación y fantasía sus sentimientos y emociones, tal y como lo podemos ver en el siguiente poema:

• • • • • •

LA MARIPOSA Y LA ABEJA

Esta tarde, saliendo de la escuela
vi una abeja bailando con las flores,

la mariposa pinta de colores
sobre el cielo azul como una acuarela.
Me entretuve mirando alrededor
imaginando que yo era el pintor.

—Lola

Trata de imaginar la escena que nos transmite el poeta. Una abeja volando alrededor de las flores en busca de la miel, pero él identifica ese ir y venir de la abeja como un baile. Lo mismo pasa con la mariposa que, al verla volar con el cielo como fondo, se la imagina como un dibujo de colores sobre una acuarela, destacando la parte más bella de la escena e imaginándose que esa bella pintura él mismo la está pintando. El resultado que logra el poeta con las palabras es parecido al que obtendría un pintor con sus pinceles y colores.

Utiliza tus lápices de colores y dibuja la abeja y la mariposa en tu libreta.

La riqueza de la poesía va más allá de la descripción de la escena. Las palabras se combinan de maneras nuevas, construyen puentes por donde cruzan la imaginación y la fantasía para permitirnos expresar nuestros sentimientos, transformando el mundo en un misterio.

Si te preguntamos ahora cómo le llamas a la persona que hace el pan que cada día comes, de seguro dirás sin pensar: panadero. ¿Al que reparte la leche? Lechero. ¿Al que construye una casa? Constructor.

En las artes sucede lo mismo. En cada manifestación, existe una persona que las ejecuta, que las protagoniza. Y como esta-

mos hablando de poesía, pues no puede faltar entonces la pregunta. ¿Cómo llamarías a la persona que escribe un poema?

¡Es muy fácil!
A quien escribe un poema,
le llamamos poeta.

La palabra **poesía** viene del latín poésis y éste a su vez del griego poíesis, que quiere decir creación. Es la manifestación de la belleza o del sentimiento estético por medio de la palabra. La **obra poética**, es decir el producto ya terminado, se denomina **poema** y no poesía como se le dice comúnmente. Es frecuente que a un poema también se le diga que son **versos** o **rimas**. En cierto modo es correcto porque los poemas están formados por versos y contienen rima, pero esto lo veremos en otro capítulo.

Hacer poesía equivale a crear, y el poeta será alguien que crea mediante las palabras. La poesía logra transmitir lo habitual, en algo que emociona, que maravilla y que inquieta nuestras raíces. Un poema debe ser algo inusual, pero hecho a base de cosas que manejamos constantemente, de cosas que están cerca de nuestro pecho.

Muchos autores han tratado de definir la poesía dentro de sus propios poemas. Uno de ellos fue Gustavo Adolfo Bécquer, quien escribió:

• • • • • •

¿Qué es poesía?, dices mientras clavas
en mi pupila tu pupila azul.
¿Qué es poesía? ¿Y tú me lo preguntas?
Poesía... eres tú.

—G.A. Bécquer

Los sentimientos y emociones del poeta frente a la mujer amada quedan expuestos en el poema. ¡Qué bella debe verla el poeta! Ese instante en que se miran a los ojos es la creación de la misma belleza y la manifestación de su amor.

También se puede expresar el amor de una madre que mira cómo su hijo juega en el parque. En el pinar todo estaba en silencio, sólo interrumpido por los niños que jugaban con moldes de plástico y cubos. A la madre, aquella tarde de primavera le pareció muy bella.

• • • • • •

EL PINAR DEL PUEBLO

Mientras el silencio danza entre los pinos,
niños inventan caracolas en la tierra
con moldes de plástico y cubos,
sus voces encienden de colores
la belleza de la primavera.

—Lola

Una vez más vemos cómo la poesía nos ayuda a retratar una escena a través de las palabras, pero complementando la descripción con el sentimiento.

El juego que se hace con las palabras en la poesía, además de dibujar las imágenes y recrear los sentimientos, busca *endulzar* el oído a través de combinaciones y repeticiones de sonido que aportan un carácter musical al poema. Estos elementos se conocen como **ritmo** y **rima,** pero los veremos con más detalle en los próximos capítulos.

Existen muchas ideas sobre lo que es la poesía y no me cabe duda de que a lo largo de este libro irás formándote la tuya propia. Ahora quiero compartir contigo otra idea sobre qué es poesía.

• • • • • •

POESÍA

La poesía es como una llave
que abre las puertas del mundo,
es mirar por la ventana
para mostrarse desnudo.

Cómplice del sentimiento,
artífice del lenguaje;
es vencer a la tristeza
sin que las lágrimas paren.

—LEAFAR

Así como un náufrago pone un mensaje dentro de una botella y lo arroja al océano inmenso esperando que algún día llegue hasta un puerto lejano, así deja el poeta sus mensajes para que viajen en forma de poemas por el tiempo, esperando que algún día lleguen a los ojos, y principalmente al corazón, de alguien que los lea.

No existen recetas para escribir un poema, pero si quieres un consejo, podría ser algo como lo siguiente:

• • • • • •

CONDIMENTOS POÉTICOS

Un poquito dislexia,
un mucho buen humor,
un tanto buena suerte,
mezclando con amor;
una pizca de gracia,
¡un mucho de ilusión!
Tener buenos amigos,
más uso que razón,
ser más listo que sabio,

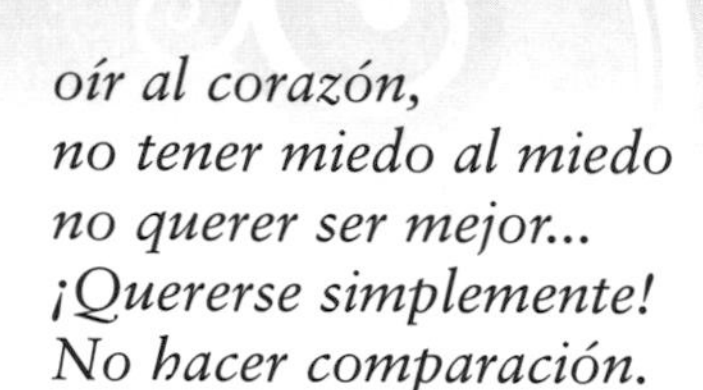

oír al corazón,
no tener miedo al miedo
no querer ser mejor...
¡Quererse simplemente!
No hacer comparación.

—Arcoiris

Para terminar este capítulo, Trofa quiere compartir contigo una reflexión:

> A mí me gusta la **poesía** porque encuentro en el lenguaje **poético** una forma de transformar al mundo en las cosas que yo me imagino. Ya he escrito varios **poemas** y cuando crezca yo quiero ser **poeta**.

¡Estoy seguro de que tú pensarás pronto igual que Trofa!

CAPÍTULO DOS

Aprender a mirar

Materiales

Para desarrollar las actividades de este capítulo necesitarás lápiz, colores, borrador y tu libreta.

Todos los artistas tienen algo en común. Ya sea un pintor, escultor, fotógrafo o poeta, todos deben de mirar la realidad que les rodea de manera detallada para poder plasmar esa realidad de una manera especial. Por ejemplo, un pintor debe de saber observar todos los detalles del paisaje para poderlo reproducir en su lienzo, de tal manera que ese paisaje resulte sensacional al mirarlo.

Cuando un fotógrafo intenta hacer una fotografía artística de una calle, cuidará quc cada detalle sea único y no sólo buscará una muchacha con una falda roja que destaque en su foto, sino que vigilará el peinado, la iluminación, el arreglo de la modelo, etcétera.

Un arquitecto observa el paisaje que hay alrededor de un terreno, la dirección por la cual sale el sol y las casas vecinas, de manera que él ya se está imaginando lo que podrán ver los habitantes de la futura casa cuando se asomen por la ventana al amanecer.

Al escritor, y principalmente al poeta, le pasa lo mismo. Se fija en todos los detalles y utiliza palabras que lo puedan relatar con originalidad. Un poeta, por ejemplo, intentará darle a la lluvia connotaciones de tristeza o de melancolía con las palabras, o utilizará un recuerdo para poder poetizarlo y pintar esa sensación que le produce.

• • • • • •

LLUVIA

Moja la lluvia
con gotas de recuerdo
en nuestro parque.

—Lola

La mirada del poeta debe estar alerta en todo momento. Imagina una mancha de chocolate en la camisa blanca. Es una mancha horrible, pero si la miras bien tiene una forma peculiar, no es del todo redonda. Si la vuelves a mirar parece la cabeza de un oso pardo o de un topo. Y ahora intenta mancharte otra vez. ¿Te das cuenta? No podrás repetir la misma forma de la mancha. Nunca esa segunda mancha puede ser igual. ¿Crees que podrías conseguir una mancha igual?

• • • • • •

MANCHA DE CHOCOLATE

La mancha oscura:
oso de chocolate
en mi armadura.

—Leafar

El poeta no sólo se fija en los detalles visibles, sino que debe percibir otros elementos del medio ambiente para poder transmitirlos al escribir su poema. Imagina que estás solo y has apagado el televisor. Escucha el silencio. Es realmente una experiencia cuando sabes escucharlo como si lo conocieras y lo dominaras. Mientras tú no haces ruido, él existe.

• • • • • •

SILENCIO

Escuchando el silencio,
el viento en mi cara,
imagino tu sonrisa
que me llama.

—LOLA

Vamos a jugar con Trofa. Apuesto a que tú también conoces la respuesta.

El **pintor** mira los colores y cada detalle del paisaje para poder pintarlo. Si queremos ser un **escultor** necesitamos mirar las formas y la proporción entre las diferentes figuras. Un **músico** deberá fijarse en la armonía del sonido. Para el **arquitecto** es muy importante ver el entorno del terreno donde piensa construir una casa. Un **fotógrafo** pone especial énfasis en la luz para que las imágenes salgan claras. Pero hay un artista que debe mirar todos esos detalles para transmitir sus sentimientos, ¿quién es?

¡Sabía que eras capaz de hacerlo!

Ahora supón que es domingo y te estás aburriendo porque llueve y no puedes salir. Te sugiero que te dirijas a la ventana y te detengas a mirar cómo llueve. Observa la lluvia, las gotas golpeando el cristal, la melodía, su monótono caer sobre el césped del jardín. En realidad es un espectáculo tan especial que los que no son poetas no lo saben apreciar. Sin embargo te aseguro que la lluvia es utilizada en muchos poemas, tanto que algunas veces hay que ir con cuidado para no caer en lo corriente, en lo que ya está muy dicho.

• • • • • •

REGADERA DE DIOS

¿Será la lluvia
regadera de Dios
bañando al mundo?

—LEAFAR

Cuando miramos así, con detenimiento, minuciosamente, algo se queda guardado en nuestro interior de esos detalles. Es como si en el corazón tuviéramos un rincón para ese poeta que somos, que sale en el momento preciso, pero no cuando uno quiere, sino que brota de repente y sentimos la necesidad de escribirlo. Eso es **la inspiración**, es esa perla que está dentro y quiere salir. No sabemos por qué ocurre esto. Es un pequeño misterio que nadie sabe resolver, pero ocurre de esta manera.

A veces intentarás escribir un poema y no podrás, no saldrá el poema, no acertarás con lo que quieres decir. Entonces no importa, déjalo, vete a jugar o a leer. El día menos pensado irás caminando por la calle, o estarás de viaje con tus padres en el coche y tendrás la necesidad de escribir algo que se te ha ocurrido.

¿Has visto el mar? Trata de recordar el tamaño de las olas y el ruido que hacen al romper, la textura de la playa, el color de la arena, las diferentes tonalidades del agua a lo largo de su

superficie ondulada, el cielo al fondo, las nubes, el viento, las aves volando, un velero, su tamaño, la luz del sol, el calor...

• • • • • •

VELERO

Danzando con el viento
sobre un manto de mil azules
va un velero acompañado
por gaviotas y por nubes.

—Leafar

Es tu turno.

Observa a tu alrededor y anota al menos tres cosas que de alguna forma te hayan asombrado últimamente. Piensa en los detalles, en qué fue lo que más te llamó la atención y trata de dibujarlo. Después intenta escribir un poema.

El poeta no sólo observa los elementos físicos del entorno, sino que también debe tener en cuenta las sensaciones y sentimientos que se presentan en cada situación, para poder transmitirlos y dibujarlos en sus poemas a través de las palabras.

• • • • • •

COPLILLA (FRAGMENTO)

Haz de tu alegría canciones,
de tus suspiros poesía,
sueños de tus ilusiones.

—Arcoiris

Si bien la mirada del poeta nos proporciona la materia prima para elaborar nuestros poemas, después debemos analizar esa información, decidir qué es lo que más nos impactó y cuáles son los detalles más importantes para escribirlo.

Después de un buen rato observando a una araña en su red, me vino este poema a la mente.

• • • • • •

SI YO PUDIERA

Observa bien a la araña
cómo suspende el azar
sobre esos hilos de estrellas.
Si yo pudiera trenzar
el rocío de la mañana
con luz de luna llena...

—LOLA

No necesariamente tienes que ponerte a observar antes de escribir un poema. Si miras con detenimiento cada detalle que te rodea, ya llegará el momento de que venga a tu mente aquello que más te impactó y te pongas a escribir. Pero procura tener siempre alerta esos ojos de poeta.

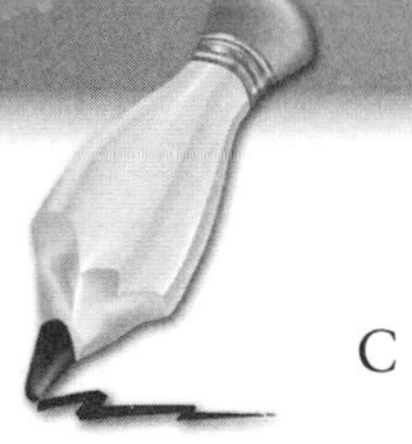

CAPÍTULO TRES

Leer poesía

Materiales

Para desarrollar las actividades de este capítulo necesitarás lápiz, una libreta, un diccionario, un libro de poemas y, si es posible, una computadora con conexión a Internet.

Antes de adentrarnos en las técnicas que te serán útiles para escribir poesía, es importante que sepamos cómo leerla.

El mejor amigo de la lectura es el **diccionario**. En realidad deberías de tenerlo siempre a punto para consultarlo. Cuando una palabra te lleve a la duda y no sepas qué significa, toma el diccionario, despeja la duda y anota en una libreta la palabra con su significado o haz un dibujo. Así lo recordarás más fácilmente. Ésta es una regla de oro para toda lectura, porque es la única manera de comprender todo lo que lees. Además, con ello aumentarás tu vocabulario para tu propia creación.

No es lo mismo leer el manual de un videojuego que un libro de dinosaurios, así como tampoco es igual leer un cuento que un poema. Sólo si tenemos una actitud propia de cada momento podremos entenderlo y disfrutarlo.

Un ingeniero verá en un río cuánta agua lleva y pensará en él como la cantidad de energía eléctrica que puede generar, pero una persona sedienta pensará en si el agua es potable para saciar su sed. Muy diferente será para la persona que está de paseo en el campo, que simplemente observa el río y disfruta el sonido del agua al correr libremente.

Leer poesía es algo similar. Simplemente hay que dejar que fluyan las palabras y disfrutar del sonido que van presentando las imágenes. La mejor manera de hacerlo es leerla en voz alta. Inténtalo con el siguiente poema.

• • • • • •

LA CIGÜEÑA

Regresa desde el invierno
hasta la primavera,
parece una sirena
surcando el cielo.
Bella y majestuosa
la cigüeña.

—LOLA

Imagina ahora a la cigüeña volando de regreso a su lugar de origen, después de pasar el invierno en el sur, con sus largas alas moviéndose lentamente, al ritmo de las palabras, mientras lees nuevamente el poema. Cierra los ojos e intenta ver lo que el autor te quiere transmitir.

Leer poesía es mirar la vida desde la ventana de la fantasía y la ilusión, es un rincón dentro de uno mismo que nos comunica con el interior del poeta. Como lector debes de dejar que

el poema te invada de sus emociones. Es la mejor manera de amar la poesía y disfrutar de ella. Muchas veces tu interpretación del poema no será exacta a lo que quiso decir el poeta que lo escribió. Incluso al leerlo un amigo tuyo encontrará matices diferentes de lo que tú has visto. Eso es así porque el lector también imprime sus propios sentimientos y sus vivencias al leer. Realmente, cuando leemos poesía, la dibujamos según nuestro propio sentir. Esto es importante que lo sepas porque el poema está abierto a la emoción.

• • • • • •

APRENDER

Cuando he aprendido algo
pronto lo vuelvo a olvidar
para tener la alegría
de volver a comenzar.

—ARCOIRIS

Leer poesía, más que una búsqueda, es un encuentro. El poeta no describe al mundo, sino que inventa su propio mundo, abre los sentidos y crea nuevas emociones, dejando libre al lector para que tenga su propia interpretación.

Existen tantas caras de un poema como lectores. Cada quien lo interpretará y lo sentirá a su manera, pero lo importante es que a través de los poemas se logren transmitir emociones y sentimientos.

Trofa escribió un poema que se llama **La Tarde**. Léelo en voz alta y luego intenta describir la escena.

• • • • • •

LA TARDE

La tarde está callada
y las canciones dormidas.

Es viernes y la lluvia
me mantiene preso.
Yo invento mariposas de papel
volando en el paisaje de mis lápices.

—Lola

Ahora pide a algún familiar cercano (tu papá, tu mamá, tu hermano o hermana, un amigo, tu abuela o tu abuelo) que describa la escena del poema sin enseñarle la que tú has hecho. Después lean juntos ambas descripciones y verán cómo les da risa de lo diferentes que son.

Es importante aprender a descifrar lo que nos quiere decir un poema. En el siguiente poema se hace una crítica al argumento de algunos presidentes sobre la guerra, diciendo que mandan tropas para mantener la paz.

• • • • • •

CONTRADICCIÓN

¡Qué absurdo camino
sigue la humanidad,
hacerse la guerra
para vivir en paz!

—Leafar

Mediante la poesía también se pueden expresar sueños e ilusiones.

• • • • • •

SERÉ LO QUE QUIERA SER

De mayor seré poeta,
con la gorra de colores
cantaré versos de amores
y montaré en bicicleta;
de mayor seré poeta,

con mis libros bajo el brazo
a la luna pondré un lazo.
Quisiera ser muchas cosas,
árbol, flores, mariposas...
y coger al sol con cazo.

—Arcoiris

¿Podrías decirle a Trofa cuál es el mensaje del siguiente poema?

¡AL ATAQUE!

La tristeza es color gris,
mantén alerta la guardia
cuando la sientas venir.
Ármate con buen humor
y con tu mejor sonrisa,
lucha contra la tristeza
para que marche deprisa.

—Arcoiris

Nuevamente pídele a alguien más que te diga lo que este poema le hace sentir y compáralo con lo que tú has sentido.

Leer poesía es importante si quieres escribir poesía. Leer mucha poesía siempre será un buen recurso para tu propia inspiración y para descubrir tu propia escritura. Te diré que leer otros géneros literarios también es interesante. Por ejemplo, los cuentos.

Lee autores de varias épocas. Al leer en voz alta descubrirás la musicalidad en el poema. Déjate llevar por las imágenes, incluso cierra los ojos para ver si puedes imaginar lo que deja entrever el poeta.

Podemos también encontrar combinaciones de cuento y poesía, en los que se cuenta la historia mediante el lenguaje poético.

• • • • • •

EL BESUGO HUGO

Había una vez un besugo
tímido, tierno y callado.
Pasaba el tiempo en silencio,
allá en su mar refugiado.
Escuchaba a las sirenas,
a las almejas, los gallos.
Escuchaba los lamentos,
los llantos desconsolados,
y los gritos de alegría
cuando en fiestas y banquetes
los otros se divertían.

En silencio fue creciendo
poco a poco fue mayor...
Sorprendido quedó Hugo
cuando conoció el amor.
Se enamoró de una gamba
¡Caramba, menudo amor!

¡Cómo decirle te quiero,
si hasta entonces nunca habló!

La gambita suspiraba
pues por cosas del destino
también quedó enamorada
de aquel besugo divino.

Hugo, el besugo, temía...
¿Y si me atranco al hablar?
¿Y si yo le caigo mal?
¿Y si comienzo la frase
y no la sé terminar?

La gambita suspiraba:
¿Cómo hacer para ayudar
al besugo que no hablaba?

Por siempre, jamás y luego,
cantando aprendió el besugo
a olvidarse de su miedo.

Si yo te quiero gambita,
no te alejes de mi vera.
Si yo te quiero gambita
(cantaba por peteneras)
Prometo hacerte feliz
hasta el día que me muera.

Y colorín-colorado,
en lindos mares navegan
cogiditos de la mano.

—Arcoiris

Es muy frecuente que algunas personas lean la poesía deteniéndose siempre al final de cada verso —a cada renglón en el poema se le llama verso—, lo cual no es correcto porque en muchos casos se pierde el sentido de la frase que se está leyendo. No hay que detenerse necesariamente al final de cada verso, sino continuar la lectura de forma natural —como si todo el texto estuviese escrito en el mismo renglón— hasta que aparezca una coma o un punto (o punto y coma). De ese modo podremos comprender mejor lo que el poeta pretende comunicarnos, sea una idea, una situación o un sentimiento. Veamos un ejemplo:

• • • • • •

RUISEÑORES (FRAGMENTO)

Oyendo un día el piar
de los ruiseñores,

vi que podía volar
a mundos mejores.

—J.A.Carbonell

La primera oración completa (que comprende los dos primeros versos) es:

Oyendo un día el piar de los ruiseñores,

Si me detengo al final del primer verso (en *piar*), la frase perderá su sentido. Debo leer de manera continua, sin pausas, hasta que encuentre un signo que me indique que debo detenerme, en este caso, la coma.

Exactamente igual sucede con la segunda oración completa (versos tercero y cuarto):

vi que podía volar a mundos mejores.

Si me detuviese al leer *volar*, el resto de la oración quedaría descolgado y no se comprendería su sentido completo. Hay que leerlo seguido hasta llegar a los signos de puntuación.

Por tanto, insisto, no debemos detener la lectura al final de cada verso, a no ser que aparezca algún signo de puntuación que así nos lo indique. La poesía se lee con naturalidad, siguiendo el curso de la frase y dando sentido a lo que leemos. Si la lectura de una estrofa nos resulta especialmente dificultosa, lo mejor es volver al primer verso —o al inicio del poema, si es necesario— e intentar leer más despacio y en voz alta, sirviéndonos siempre de los signos de puntuación que, a modo de señales, nos guían hacia el verdadero sentido del poema.

También encontrarás algunos poemas que se presentan como diálogo. Pídele a alguien que te ayude a leer en voz alta **Escaramuzas**. La primera parte es un narrador y después se presenta el diálogo entre Doña Verdad y Don Embuste.

ESCARAMUZAS

Doña Verdad muy dispuesta,
armada de mil razones,
fue en busca de Don Embuste
a pedirle explicaciones.

—¡No estoy! —dijo el muy bribón,
al verla llegar compuesta.
—¡Déjese de tonterías,
mentiras a mí... ni muerta!
—Qué guapa, qué aderezada,
¡qué esbelta figura lleva!
—¡Que se calle Don Embuste!
¿Cómo dijo?... ¿Guapa, esbelta?

—Arcoiris

La poesía es como una masa que puede adoptar tantas formas como se le ocurran al poeta, tanto en lo que dice como en la forma de hacerlo.

RIQUEZA

¡Qué dolor y qué tristeza!
El mundo está descuadrado,
pensando que la riqueza
es una cuenta en el banco.
¡Vaya pues, qué ligereza!
¡Hasta dónde hemos llegado!
Olvidar que la franqueza
pega directo en el blanco:
El hombre justo es testigo
de una verdad evidente,

él puede mirar de frente
a los ojos de un amigo.

—Leafar

No creas que la poesía está destinada a existir únicamente en los salones de clase. La podemos encontrar en muchos lugares. En el dormitorio de un niño pequeño, cuando su mamá le canta antes de dormir; en el patio de juegos, dentro de una adivinanza; inclusive la podemos encontrar en la cocina.

• • • • • •

A LA TORTILLA DE PATATAS

(Lo que hace el hambre)

De los muchos alimentos
que en el mundo se preparan
para sustentar los cuerpos
y dar gusto a las gargantas,

tiene gran predicamento,
es español y destaca
el que, con patata y huevo
como materias primarias,

aceite, sal y un buen fuego,
sin añadiduras vanas,
hace siglos algún genio
en inventar acertara.

Su nombre ya digo presto,
espero que sin erratas:
Torta de patata y huevo
es... tortilla de patatas

También se llama española,
pues que se inventó en España,
si bien muchos extranjeros
la gozan allá, en sus patrias.

Cogiendo patata y huevo,
poniendo un poco de maña,
y con sal, aceite y tiempo,
hizo una torta dorada,

esa torta tan redonda,
tan jugosa y bien guisada,
esa gloria de este mundo,
esa insigne españolada,

la comida de los pobres:
La tortilla de patatas.

—J.A.Carbonell

Cuando leas poesía y cualquier otro texto, sobre todo diviértete con la lectura, pues siempre es buena compañera. Sin embargo, también aprenderás a tener un punto de vista crítico con el tiempo.

Hay un sitio de Internet muy interesante de poesía para niños. Pídele a un adulto que te ayude a entrar a la dirección *www.poesía-infantil.com*, pero si no tienes acceso a Internet no te preocupes porque puedes buscar libros de poesía en la biblioteca. Seguro que encuentras sus poemas interesantes en alguna antología de poesía para niños.

Particularmente te recomiendo que leas a los siguientes autores:

- Rafael Alberti: *"Pregón", "El mar, la mar", "Se equivocó la paloma".*
- Carmen Conde: *"El pájaro ruiseñor".*
- Gloria Fuertes: *"Autobio", "La pata mete la pata", "La oveja", "La gallinita" y "El gallo despertador".*
- García Tejeiro: *"Hay una corneta", "En un trozo de papel", "Yo quiero reír", "De ola en ola", "En medio del puerto" y "Tenía una guitarra".*

- Juan Ramón Jiménez: *"Trascielo del cielo azul"*, *"Álamo blanco"*, *"Canción de invierno"* e *"Iba tocando mi flauta"*. Y de este autor señalo que podrías leer *"Platero y Yo"* que es un bellísimo libro en prosa que seguro que te gustará mucho.

- Federico García Lorca: *"EL lagarto esta llorando"*, *"Canción Tonta"* y *"Mariposa"*.
- Gabriela Mistral: *"La maestra Rural"*, *"Caricia"* y *"Cosas"*.
- Lope de Vega: *"Maya"*.
- Antonio Machado: *"Las pulgas"*.
- Pablo Neruda: de este autor es especialmente interesante un libro que se llama *"Arte de pájaros"*.

Y así podría hacer una larga lista de autores cuya poesía te gustará, pero ya los irás descubriendo tú mismo.

CAPÍTULO CUATRO

Las partes de un poema

Materiales

Para desarrollar las actividades de este capítulo necesitarás lápiz, colores y tu libreta.

Ya platicamos sobre las diferencias entre poesía y poema. Existen muchas formas y estilos diferentes de poemas y para poder reconocerlas será necesario que aprendamos las partes que lo componen.

A cada renglón en un poema se le llama **verso**. Los versos pueden ser de diferentes tamaños y al unirse forman **estrofas** y éstas, a su vez, están formadas por un número variable de versos. Un poema puede formarse de una o más estrofas.

Los versos se miden de acuerdo al número de sílabas y más adelante te enseñaremos a clasificarlos.

Veamos un ejemplo para que nos quede más claro:

• • • • • •

LOS PATOS

Caminando el otro día
vi pasar un par de patos,
algo raro sucedía
pues andaban con zapatos.

Yo los alcancé intrigado
y les quise preguntar,
pero al pasar a mi lado
respondieron cuac, cuac, cuac.

A la orilla del estanque
asomó el pico un tercero,
comprendí todo al instante
porque él era el zapatero.

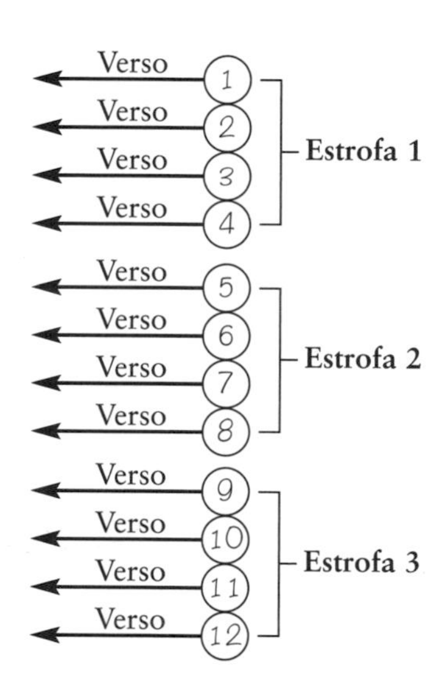

—Leafar

Como puedes ver, el poema **Los Patos** se compone de tres estrofas de cuatro versos cada una. Más adelante veremos de qué nos sirve poder identificarlos, pero ahora lo importante es reconocerlos.

"Hice un verso sin esfuerzo"
¡Erróneamente dice la gente cuando
por azar riman al hablar!

Cuando las palabras al final de cada renglón terminan igual no decimos que se habla en verso, sino con rima. Más adelante, en otro capítulo, abordaremos este tema con mayor detalle.

Es tu turno. En el siguiente poema debes identificar las estrofas y el número de versos que tiene cada una. Copia el poema en tu libreta y después marca las estrofas de diferentes colores y numera los versos.

• • • • • •

EL NIÑO-POETA

Con este libro, Conrado
es poeta consumado.

Conrado era un estudiante,
le gustaba la poesía
y soñaba que escribía
como Rubén, Lope o Dante.

Alguien le ha recomendado
este libro donde Trofa
enseña en cada estrofa
cómo un poema es creado.

Con este libro, Conrado
es poeta consumado.

Conrado estudió con calma
lo que Trofa le enseñaba,
y pronto escribiendo estaba
lo que surgió de su alma.

Así el muchacho ha llegado
a ser un niño-poeta
que alcanzó tan alta meta
estudiando con agrado.

Con este libro, Conrado
es poeta consumado.

—J.A.Carbonell

¡Muy bien! Supongo que habrás notado un par de detalles en este poema. La primera estrofa tiene menos versos y se repite varias veces a lo largo del poema. A esto se le conoce como **estribillo**, que es muy utilizado en las canciones.

Existen otras formas de jugar con las palabras al hacer poesía, algo así como una clave secreta. Para que me entiendas, trata de descifrar el mensaje oculto en el siguiente poema.

• • • • • •

ORUGA

Tierna y despabilada,
risueña a todas horas,
oruga culta y letrada,
favorita en estas hojas.
Adivina de quién se trata.

—Leafar

¿Sabes de quién se trata? Para que lo veas con mayor claridad, repetiré el poema resaltando la *clave secreta.*

• • • • • •

ORUGA

T*ierna y despabilada,*
R*isueña a todas horas,*
O*ruga culta y letrada,*
F*avorita en estas hojas.*
A*divina de quién se trata.*

—Leafar

¡Qué sorpresa! Al jugar con las primeras letras de cada verso podemos formar palabras y lograr que el poema lleve el nombre de para quién fue escrito. A este tipo de poema se le llama **acróstico.**

Es tu turno. ¿Podrías identificar el mensaje oculto en el acróstico siguiente? Cópialo en tu libreta y colorea las primeras letras de cada verso para que te sea más fácil.

• • • • • •

REPORTE METEOROLÓGICO

Amaneció soleado.
Repentinamente unas gotas
Caminan por el cielo sin
Ocultar el sol.
Inmediatamente se dibujan
Risas de colores
Imitando la alegría que
Se desborda en Camagua.

—LEAFAR

Es divertido esto de los acrósticos. Ahora trata tú de hacer un acróstico para alguien que quieras mucho, resalta las primeras letras con colores y entrégaselo para que le demuestres ese cariño. También escribe otro acróstico acerca de algo que te guste mucho.

Cuando hablamos sobre qué es la poesía vimos que era posible *dibujar* una escena a través de las palabras. Pues también es posible dibujar con las palabras.

¡FIESTA DE NAVIDAD!

A
la
vez
agobios,
empujones,
infartos, tropezones;
¡fiesta de la vanidad!
Carreras sin tener un destino,
¡estúpida bondad! Propósitos en vilo:
ser buenos, tener paz, visitar Santos Cristos,
hacer ejercicio y dejar de fumar; no reñir con la suegra,
alejarse del mal, cocinar a lo grande; comprar, comprar y comprar…
Felices y contentos llegamos al "Altar"…
Radiantes,
perfumados
exhaustos...
¡NAVIDAD!

—Arcoiris

Copia el poema en tu libreta y rellena todas las letras "**o**" con diferentes colores y ya tendrás un árbol de navidad con luces y esferas.

Literalmente hemos dibujado con las palabras. Estos poemas gráficos se conocen como **caligramas.**

A Trofa también le gustan mucho los caligramas y quiere mostrarte uno que ella misma hizo.

GUSANITO

Un gusanito
lentamente caminaba
sobre una jugosa manzana.

—LEAFAR

—LEAFAR

¿Verdad que es posible ver al gusanito caminando sobre la manzana? Copia el poema en tu libreta y dibuja al gusanito en verde caminando sobre una manzana roja.

Estoy seguro de que tú puedes hacer tu propio caligrama. Haz el dibujo con lápiz en tu libreta y después vas remarcando los trazos con el texto de tu poema.

CAPÍTULO CINCO

La metáfora y la imagen

Materiales

Para desarrollar las actividades de este capítulo necesitarás un diccionario, lápiz, colores, borrador, tarjetas blancas para fichero y tu libreta.

Recuerda que mediante la poesía podemos jugar con las palabras a inventar y pintar el mundo a nuestra manera. Utilizamos la metáfora y la imagen para dibujar momentos y emociones y así logramos que nuestros poemas sean visuales. Esto quiere decir que cuando alguien lea el poema podrá ver esas sensaciones que el poeta quiso transmitir.

Si queremos expresar tristeza podríamos decir:

Lloran las nubes con lágrimas mudas.

No olvides consultar las palabras
que no conozcas en el diccionario y anotarlas
o dibujarlas en tu libreta.

Como puedes ver la palabra tristeza no aparece en la imagen. Esto es así porque en poesía se pretende sugerir las emociones más que explicarlas.

Para expresar alegría podríamos decir:

Del cielo caen estrellas que ríen.

Cuando queremos pintar la alegría lo hacemos con imágenes que la puedan evocar. Si simplemente explicáramos "*ayer la tarde fue muy especial, nos lo pasamos bien jugando y riendo, todos estábamos contentos*", no cabe duda de que todos nos entenderían, pero no estaríamos haciendo poesía.

Vamos a jugar. Trata de encontrar la relación entre las imágenes poéticas con las situaciones que se presentan.

Pateo un balón de fútbol - - - - - Diminuto mundo a mis pies

¿Te imaginas un balón con forma de mundo?

Me reflejo en el agua del lago - - - - Espejo líquido del bosque

Si alguna vez te has visto reflejado en la superficie de un lago entenderás por qué le llamamos "espejo líquido".

Ahora es tu turno. Piensa en la imagen que nos presenta Trofa y después invéntate al menos dos imágenes poéticas. Escríbelas en tu libreta.

¡Muy bien!

Lo que hemos hecho se trata de construir **imágenes** y lo estamos haciendo a través de identificar alguna semejanza entre

dos términos y utilizar uno para describir al otro. A esto se le llama **metáfora.**

La **imagen** transmite como un dibujo en el poema. Cuando usamos una imagen, quien lee el poema ve lo que queremos decirle. Con la imagen evocamos lo que percibimos a través de los sentidos.

El primer paso para construir una imagen o una metáfora es la comparación. Pensemos, por ejemplo, en un tren circulando a gran velocidad. Si vemos las vías formando curvas a lo largo de las montañas podemos asociarlo con una serpiente. Así, para decir:

El tren pasa muy deprisa.

Podemos expresarlo a modo de comparación diciendo:

El tren es una serpiente de hierro deslizándose con prisa.

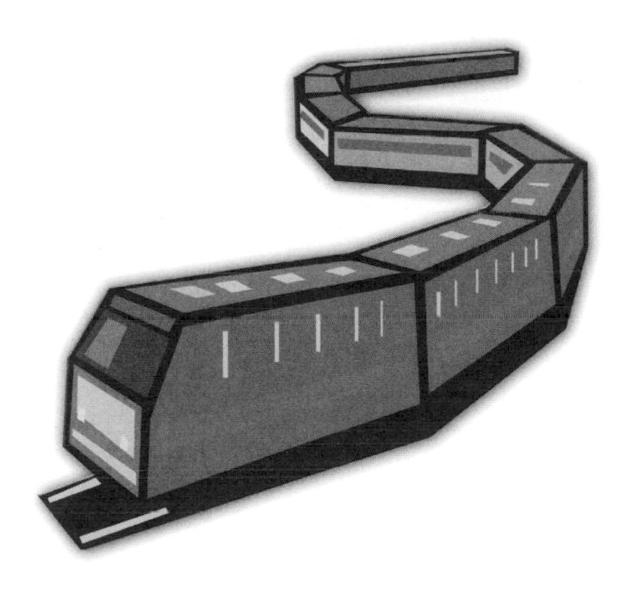

Cuando alguien esté leyendo un poema, le llamará más la atención la segunda forma de expresarlo, pues en poesía tratamos de decir las cosas de otra manera para evocar situaciones de la realidad.

Podemos seguir jugando con la imagen y suprimir el elemento original. La frase quedaría:

Serpiente de hierro deslizándose con prisa.

Como puedes ver, estamos hablando del tren, pero sin mencionarlo. Hemos creado nuestra propia manera de nombrarlo a través de la metáfora.

En la comparación tomamos dos elementos y establecemos semejanzas para crear una impresión más bella o expresar de forma más intensa una emoción o sentimiento. Suelen ser dos elementos que pueden parecerse, pero uno es real y el segundo es imaginario.

Para hacer una comparación debemos usar nexos de unión, que pueden ser "*como*", "*cual*" o "*igual a*".

Juguemos con Trofa a hacer más comparaciones.

1. La **cebra** es *como* un caballo de algodón con rayas negras.
2. Pasó un **mosquito** *cual* diminuto avión de combate.
3. Observo a las **hormigas** *como* un ejército en formación.
4. La **jirafa** es *igual a* una señora estirada.
5. Era el **ratón** *como* un canguro en miniatura.
6. La señora se reía *cual* **hiena** en un circo.

Para cada comparación toma un par de tarjetas. En una escribirás la imagen como texto y en la otra dibujarás al animal en cuestión. Estas tarjetas nos servirán para hacer nuestro propio juego de memoria. Trofa nos mostrará cómo hacerlo con la primera.

Caballo de algodón con rayas negras

¿Te atreves a hacer tus propias comparaciones? Estoy seguro de que al menos podrás encontrar otras cuatro. Escríbelas en tu libreta y elabora todas las tarjetas.

¡Vaya que son originales!

Ahora vamos a construir una cadena de comparaciones. Comencemos pensando en un televisor. La pantalla es como una ventana, pero lo que se ve en ella no está allí en realidad.

El televisor es como una ventana de fantasía.

Hemos relacionado dos términos entre los cuales existe alguna semejanza. Uno de ellos es el literal (real) y el otro se usa en sentido figurado (imaginario). Partiendo de esta comparación, la podemos transformar de manera que sea una idea totalmente nueva. Si quitamos el nexo y escondemos el elemento real, lograremos expresar una idea con el nombre de otra.

Televisor = Ventana de fantasía.

¿De dónde vienen las imágenes del televisor? Puede ser que lleguen a través de un cable o se estén captando por medio de una antena que recibe las señales de un satélite y el aparato las descifra y las transforma en las imágenes que vemos, como una especie de código secreto.

Es como descifrar secretos que no vemos.

La señal —ese *secreto invisible*— viene de un satélite, que es un aparato de acero que flota en el cielo, igual que las estrellas.

El satélite es como una estrella de acero.

Si unimos las tres ideas para formar una sola imagen nos quedaría algo como:

Me asomo a la ventana de la fantasía
para descifrar los secretos
de la estrella de acero.

Que en realidad quiere decir que estamos mirando un programa de televisión vía satélite. ¿Te das cuenta cómo podemos ir encadenando imágenes hasta formar un poema?

A mí, un satélite me recuerda a una estrella, pero para ti puede ser, por ejemplo, como una araña suspendida en el cielo. La verdad es que cada poeta se inventa e imagina cosas completamente distintas, porque cada uno representa el mundo a su manera.

Pero no pienses que es difícil crear imágenes. En el habla cotidiana hacemos metáforas y comparaciones constantemente. Te doy un ejemplo para que lo entiendas. Cuando decimos "*está lloviendo a mares*" o "*está lloviendo a cántaros*", lo que hemos querido decir es que está lloviendo mucho. Sin embargo, al utilizar la palabra "*mares*" estamos presentando la lluvia como si fueran mares que caen del cielo y casi puedes ver cómo se precipita el agua al decirlo. En el caso de usar "*cántaros*" hacemos ver como si se vaciaran desde el cielo vasijas (cántaros) con agua. En estos dos casos hemos dado mayor expresividad a nuestro mensaje al introducir elementos de comparación irreales. Digo irreales porque los mares no caen del cielo como lluvia y los cántaros no se vacían desde el cielo.

Trofa quiere ayudarte para que tengas más tarjetas en tu juego de memoria. Aquí tienes otras seis y elabora otras cuatro para que tengas 20 pares en total.

1. **Árbol**: flor gigantesca.
2. **Cárcel**: nido de acero.
3. **Bicicleta**: anteojos del gigante.
4. **Luna**: los cuernos de la noche.
5. **Tren**: serpiente de metal.
6. **Hongo**: paraguas diminuto.

Ahora puedes invitar a alguien a que juegue contigo. Revuelve todas las tarjetas y, sin mirarlas, colócalas en formación boca abajo. Cada jugador destapa por turnos dos tarjetas. Si corresponde la metáfora con el dibujo, el jugador se las queda y vuelve a tirar; si no corresponden, entonces las deberá voltear nuevamente boca abajo y será el turno del siguiente jugador. Ganará quien tenga más pares al final del juego.

Ya sabes lo suficiente de imágenes y metáforas para que veamos un poema completo.

• • • • • •

INCENDIO FORESTAL

Lenguas naranjas
lamiendo con saña,
llenando con franjas
ceniza y montaña.

—Leafar

¿A qué crees que se refirió el poeta al escribir "*lenguas naranjas*"? Claro, son las llamas del incendio. Cuando se dice "*lamiendo con saña*" quiere decir quemando todo lo que encuentra a su paso. En lugar de decir que el fuego lo arrasa todo y llena la montaña de ceniza el poeta dice "*llenando con franjas ceniza y montaña*".

Vuelve a leer el poema, pero ahora imaginándote cómo las llamas van quemando la vegetación de la montaña y convirtiéndola en ceniza. Dibuja la escena y coloréala.

¿Crees poder hacerlo tú solo? Lee el siguiente poema de corrido y luego vuelve a leerlo poco a poco. Encuentra las metáforas e identifica el lenguaje poético. Dibuja la escena en tu cuaderno.

• • • • • •

EJÉRCITO DE HORMIGAS

Soldados de seis patas,
formados en una fila,
avanzan del hormiguero
hasta la cocina.

Prisioneros de azúcar
capturaron en la batalla
que llevan de regreso
sobre su espalda.

—LOLA

Existen otros juegos de palabras que nos ayudan a reforzar las imágenes y la expresión de sentimientos en un poema. Podemos utilizar conceptos que signifiquen lo contrario y referirnos a uno mediante la negación del otro. Podemos referirnos a la "*oscuridad*" como "*ausencia de luz*"; o bien, en vez de decir que alguien "*comenzó a hablar*", escribiremos "*rompió el silencio*".

También podemos combinar palabras opuestas en una misma frase para darle mayor impacto a lo que queremos expresar. Si decimos "*El jinete negro montado en su caballo blanco*", el resultado es más fuerte que "El *jinete montado en su caballo*".

Otra forma de jugar con las contradicciones es utilizarlas para formar un nuevo significado. "*Me dijo una verdadera*

mentira" es más impactante que simplemente "*me dijo una mentira*". Al anteponer "*verdadera*" damos la sensación de que no sólo se trata de una mentira, sino que ésta es muy grave.

Ahora te toca a ti. Encuentra las palabras opuestas a las que pone Trofa y trata de utilizarlas para construir alguna frase en lenguaje poético y anótala en tu libreta:

Claro, feliz, grande, dulce, delgado, bondad, silencio y valiente.

También podemos lograr mayor impacto en lo que decimos al exagerar alguna característica importante. Si decimos "*un gato grande*" cada quién tendrá su propia idea del tamaño del gato, pero si decimos "*un gato grande como un elefante*" todos pensarán en el gato más grande que puedan imaginar.

Al aumentar o disminuir excesivamente lo que decimos, se consigue con ello mayor fuerza evocativa. En el habla cotidiana también lo utilizamos en más de una ocasión sin darnos cuenta. Cuando decimos "*tengo tanta hambre que me comería una vaca entera*", estamos haciendo hincapié en que tenemos mucha hambre, pero lo presentamos de forma muy visual. En realidad estamos empleando el lenguaje figurativo, una exageración, tal y como lo hicimos antes al decir "*llueve a mares*".

Podemos nombrar las cosas utilizando alguna de sus partes o de sus atributos, pero refiriéndonos al todo. Si decimos "*Toño tiene cien cabezas de ganado*" nos referimos a que tiene cien vacas completas, no únicamente las cabezas; o bien si "*Juan anda metido en líos de faldas*", lo que en realidad sucede es que Juan tiene problemas con las mujeres.

También puede sernos útil personificar a los objetos. Al decir "*el coche se queja con su bocina*" le estamos atribuyendo al coche la acción de quejarse que es propia de los seres animados (personas y animales). La situación real es que el conductor del coche hizo sonar la bocina.

¿Verdad que puedes pensar en algunos ejemplos más?

Otro ejemplo de personificación podría ser "las estrellas ríen", en donde le estamos atribuyendo una cualidad humana a las estrellas, pero nos referimos a su brillo.

Si cambiamos el orden de las palabras y ponemos primero el adjetivo y después el sustantivo, le damos más fuerza a la característica del objeto que al mismo objeto. ¿Cuál frase de las dos siguientes te parece de mayor impacto?

Ricitos de Oro se topó con un oso grande.

Ricitos de Oro se topó con un gran oso.

Mientras que en la primera frase es más importante que se topó con un oso, en la segunda tiene más peso el tamaño del animal.

Esta manera como hemos estado jugando con las palabras es conocida como **figuras retóricas**. Cada una tiene su nombre particular, pero son difíciles de recordar. Lo importante es que sepas que existen y que hay muchas otras que podrás consultar en una enciclopedia.

Para terminar este capítulo, te invito a que hagas tus propias figuras retóricas. Creo que con ocho será suficiente.

CAPÍTULO SEIS

La Rima

Materiales

Para desarrollar las actividades de este capítulo necesitarás lápiz, colores, borrador, tarjetas blancas para fichero y tu libreta.

Estoy seguro de que ya habrás notado que existen diferencias entre los poemas con los que hemos estado jugando. Algunos los habrás encontrado más musicales que los otros. Esto se conoce como **rima**.

Comencemos el juego con un poema que nos habla de un león que se escapó del circo.

• • • • • •

TERROR EN EL CIRCO

El circo vivió el terror
cuando el león pudo escaparse
y entre gritos devorarse

completo a su domador.
El león avanza furioso
con rugidos y zarpazos
se comió a los trapecistas,
a magos y equilibristas,
pero dejó a los payasos...
porque le saben chistoso.

—LEAFAR

Cuando las palabras terminan con el mismo sonido se dice que riman. Fíjate en las últimas palabras de cada verso en el ejemplo y repítelas en voz alta para que notes la rima:

terr**or** / domad**or**,	A
escap*arse* / devor*arse*,	B
furioso / chistoso,	C
zarpazos / payasos,	D
trapec***istas*** / equilibr***istas***.	E

Normalmente se van asignando letras a cada tipo de terminación, como lo ves en la parte derecha. Algunos usan minúsculas y otros mayúsculas. No importa, mientras logres identificar la rima. En el poema tenemos una rima **ABBACDEEDC.** Lo podrás ver más fácilmente si agrupamos los versos de la siguiente manera:

Lee el poema en voz alta y fíjate bien en la terminación de las palabras.

TERROR EN EL CIRCO

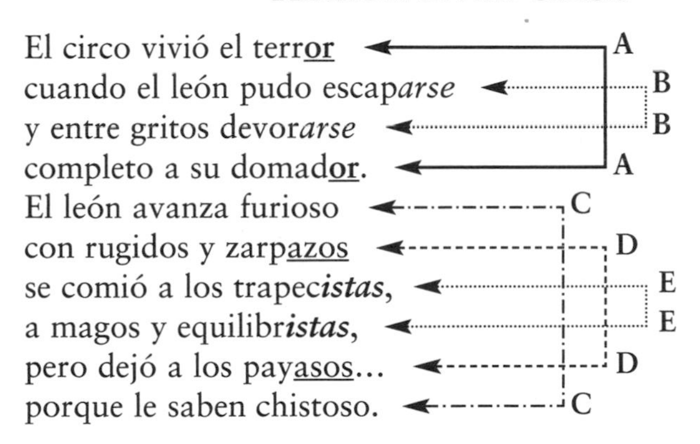

—Leafar

¿Serías capaz de encontrar otras parejas de palabras que rimen?

Ahora te toca a ti. Copia el siguiente poema en tu libreta, identifica las palabras que riman y subráyalas con colores diferentes. Después, asigna las letras a la rima de este poema. Trofa te ayudará con la primera estrofa.

EL AJEDREZ

Les platicaré esta v*ez*
de mis juegos favor*itos*
se juega sobre cuadr*itos*
el juego del ajedr*ez*.

v *ez* / ajedr *ez* terminan igual, **A**
favor *itos* / cuadr *itos* riman, **B**

En la batalla campal
que se juega con la mente
van ocho Peones al frente
del ejército Real.

Las Torres van a los lados,
dos Caballos brincadores,
Alfiles en sus colores,
Reina y Rey enamorados.

Se terminará el combate
cuando el Rey del otro lado
ha quedado acorralado
y se canta el jaque mate.

—LEAFAR

¡Muy bien! Ahora que entendiste de qué se trata la rima, necesito que me ayudes a ordenar el escritorio de Trofa. Las palabras que tenía listas para su poema se revolvieron y necesita separarlas para que rimen. Ya ha empezado, pero si tú le ayudas a ponerlas en los diferentes cajones terminará más rápido. Haz cuadros en tu libreta para cada "familia" de palabras y llénalos como se muestra en el ejemplo que hizo Trofa. ¡Pero ten cuidado! Algunas de las palabras en el cajón grande no deben ponerse en los cajones pequeños.

~~pálida~~ cielo razón pelo modelo ~~crisálida~~ honrado
fallo cayo pártelo borrado corazón aulló
~~válida~~ canción pie gallo tapado barullo salida
anzuelo café chelo ~~cálida~~ ciclón miré caballo
rayo colorado

pálida
crisálida
válida
cálida

¿Pudiste identificar las palabras que no riman con el resto? Te doy una pista: La palabra *salida*, aunque tiene las mismas letras finales que *pálida*, no rima con ésta porque la sílaba tónica —la que suena más fuerte en la palabra, aunque no lleve acento— no coincide. Repite en voz alta las palabras

sa-**li**-da y **pá**-li-da

y verás que tienen terminaciones diferentes, es decir que no riman. Para que la rima se dé es necesario que las palabras coincidan desde la vocal de la sílaba tónica hasta el final.

Ya que lo sabes, busca nuevamente qué palabras deberíamos dejar fuera de los cajones. También te sugiero que hagas una tarjeta para cada palabra, porque te servirán para el próximo juego con tus amigos, pero ya te lo explicaré más adelante.

Juguemos con otro poema. Se llama **El Feo**. Ahora, además de identificar la rima, me gustaría que señalaras cuál es la sílaba tónica de las palabras que la forman. Copia el poema en tu libreta y utiliza un código de colores.

• • • • • •

EL FEO

Del susto casi me espanto
si en el espejo me veo
y del pasmo me mareo
si la mirada levanto.

—Mamá, ¿por qué soy tan feo?
— le pregunto lloriqueando.
—Hijo, estás exagerando,
yo más bien guapo te veo.

Mas mi triste realidad
bien la sufro yo en el aula:
me preguntan por mi jaula
riendo de mi fealdad.

No fuera asunto mayor
de ser yo sólo un muchacho,
pero tengo ya despacho
porque soy el director.

—J.A.Carbonell

Ahora es tu turno de hacer rimas. Elabora cinco listas de palabras que rimen y encuentra cuál es la sílaba tónica en cada caso, así podrás ir creando tus propios cajones de rimas.

¡Perfecto! Veo que ya has entendido de qué se trata la rima. Ya estás listo para jugar con otro poema que habla de Robin Hood, el héroe de Nottingham. Te recuerdo que tienes que leerlo en voz alta.

• • • • • •

ROBIN HOOD

Robin Hood toma el arco
dispara pronto una flecha
que da directo en el blanco
demostrando su destreza.

—Leafar

Como puedes ver, la terminación de estas palabras no es idéntica como en los casos anteriores, pero se identifica un toque musical cuando lo leíste porque el sonido sí se parece. Las palabras *arco* y bl*anco* tienen en común las vocales ***a—o*** y las palabras fl*echa* y destr*eza* terminan con ***e—a***, de modo que podemos decir que se presenta un tipo de rima, aunque no es tan evidente como en los casos anteriores.

Como la terminación es parecida, pondremos a las letras un apóstrofe para indicar la rima **asonante**, que en este caso es **ABA'B'**. Es como si coloreas el primer verso en azul marino, el segundo en verde oscuro, el tercero en azul cielo y el cuarto en verde claro. Copia el poema en tu libreta y sustituye las flechas por colores.

• • • • • •

ROBIN HOOD

Robin Hood toma el *arco* ← A
dispara pronto una fl*echa* ← B
que da directo en el bl*anco* ← A'
demostrando su destr*eza*. ← B'

—LEAFAR

Sabía que no tardarías en descubrir que existen dos tipos diferentes de rima. Una en la que coinciden todas las letras desde la sílaba tónica, a la que se conoce como **rima consonante,** y otra en la que sólo coinciden las vocales, a la que se llama **rima asonante.**

¿Serías capaz de identificar qué tipo de rima se presenta en un poema? Tratemos con un fragmento de **El Pirata.** Copia el poema en tu libreta y después identifica la sílaba tónica, marca las palabras que riman y clasifícalas como consonante o asonante. Trofa te ayudará con la primera cuarteta.

• • • • • •

EL PIRATA

Hubo un pirata c*ojo*
con una pata de p*alo*
con un parche en el *ojo*
y un garfio en la m*ano*.

cojo / ojo — consonante
palo / **ma**no — asonante

Cojo y *ojo* terminan idéntico desde la primera "o", que es donde está la sílaba tónica y la rima es **consonante.** Palo y mano llevan la sílaba tónica en la "a", pero sólo coinciden las vocales a—o, por lo que la rima es **asonante.**

El pirata en su barco
llevaba como bandera
en un gran trapo blanco
pintada una calavera.

Una noche llegará
que a la luz de luna llena
el pirata se va a casar
con una hermosa sirena.

—Leafar

Ya casi eres experto en rimas. Estoy seguro de que ahora le podrás ayudar a Trofa a clasificar el cajón de rimas asonantes como lo hiciste anteriormente con las rimas consonantes.

~~tiempo~~	piedra	~~camello~~	luna	desfila	bruma
espina	tienda	gorila	llena	montar	hormiga
~~cielo~~	~~lento~~	antifaz	duda	siesta	animal
venta	gruta	riega	amistad		

tiempo
camello
lento
cielo

¡Muy bien! Ahora haz las tarjetas con las palabras de los cajones y estarás listo para jugar con dos o tres amigos. Se revuelven las tarjetas y se reparten todas a los jugadores. El que comienza el juego debe tirar una tarjeta, el que sigue deberá tirar otra tarjeta con una palabra que rime; si la rima es asonante se cambia el sentido del juego, pero si es consonante el juego continuará como iba. El jugador que no tenga tarjeta para tirar pierde su turno y el último en poner tarjeta se quedará con todas. Gana el jugador que al final haya acumulado el mayor número de tarjetas. Haz todas las rimas que se te ocurran. Mientras más tarjetas tengas, más divertido será el juego.

Antes de terminar este capítulo ya sólo me queda pedirte que escribas un poema con el tipo de rima que más te haya gustado. Inténtalo.

CAPÍTULO SIETE

Métrica y ritmo

Materiales

Para desarrollar las actividades de este capítulo necesitarás un instrumento de percusión —como un tambor o un pandero—, lápiz, colores, borrador y tu libreta.

Cuando platicamos sobre la rima decíamos que hay poemas que suenan muy musicales. La "tonada" de estos versos cantados se debe a que los versos tienen un tamaño constante y a la repetición de sonidos. Para entender este concepto empecemos a jugar. Toma el tambor o algún otro instrumento de percusión —incluso puedes golpear la mesa con tus manos o con un lápiz— y sigue el ritmo:

Fuerte – débil – débil – **fuerte** – débil – débil – **fuerte** – débil.

Fuerte – débil – débil – **fuerte** – débil – débil – **fuerte.**

Fuerte – débil – débil – **fuerte** – débil – débil – **fuerte** – débil.

Fuerte – débil – débil – **fuerte** – débil – débil – **fuerte.**

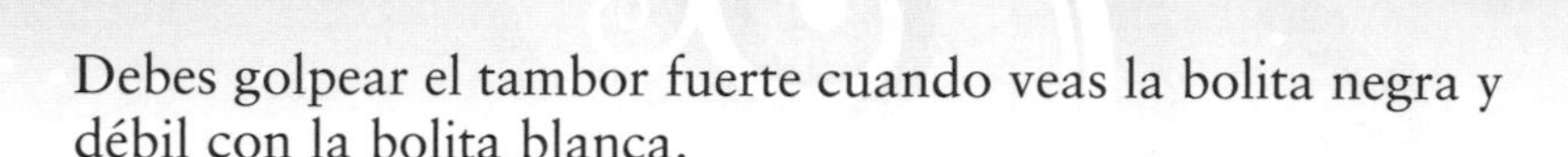

Debes golpear el tambor fuerte cuando veas la bolita negra y débil con la bolita blanca.

● ❍ ❍ ● ❍ ❍ ● ❍

● ❍ ❍ ● ❍ ❍ ●

● ❍ ❍ ● ❍ ❍ ● ❍

● ❍ ❍ ● ❍ ❍ ●

¿Te gusta como suena? Pues prueba con otras combinaciones, pero recuerda que deben irse repitiendo los sonidos, ya que en ellos reside la musicalidad.

Imagínate ahora que los sonidos del tambor coinciden con las palabras mientras lees el poema, de modo que si tú dices corazón, le correspondan dos toques débiles y uno fuerte al final, equivalente al acento.

Co – ra – **zón**

Débil – débil – **fuerte.**

❍ ❍ ●

Prueba con otras palabras y acompáñalas con el tambor mientras las dices. ¿Verdad que es divertido fijarse en el sonido de las palabras? Pues ahora hagámoslo con alguna frase, por ejemplo “tengo comezón en la cabeza”.

Para repetirla con el tambor hagamos coincidir cada sílaba con un golpe, haciéndolo más fuerte cuando la sílaba sea tónica.

Ten – go – co – me – **zón** – en – la – ca – **be** – za.

Fuerte–débil–débil–débil–**fuerte**–débil–débil–débil–**fuerte**–débil.

● ❍ ❍ ❍ ● ❍ ❍ ❍ ● ❍

¿Probamos con otras frases que se te ocurran? Adelante, hazlo.

Ahora veamos qué efecto tiene un poema cuando lo decimos siguiendo cada palabra con el tambor.

• • • • • •

VENTANA DEL FUTURO

Miro la ventana del futuro:
llega la señal de las estrellas,
dice los secretos que le cuentan
todas las mañanas en el mundo.

—Leafar

Para que te sea más fácil, Trofa ya lo separó en sílabas y marcó las que son más fuertes.

Mi ●	ro ❍	la ❍	ven ❍	**ta** ●	na ❍	del ❍	fu ❍	**tu** ●	ro ❍
lle ●	ga ❍	la ❍	se ❍	**ñal** ●	de ❍	las ❍	es ❍	**tre** ●	llas ❍
di ●	ce ❍	los ❍	se ❍	**cre** ●	tos ❍	que ❍	le ❍	**cuen** ●	tan ❍
to ●	das ❍	las ❍	ma ❍	**ña** ●	nas ❍	en ❍	el ❍	**mun** ●	do ❍

¿Qué observas en el poema? ¿En qué se parece a la frase que habíamos dicho de la comezón?

¡Claro! Todos los versos tienen diez sílabas y coinciden las sílabas tónicas. Por eso es importante medir la longitud de los versos, porque así podemos contribuir con el impacto sonoro que endulza al oído cuando leemos poesía en voz alta. A la cuenta de las sílabas de cada verso se le conoce como **métrica.**

Estoy seguro que ya has notado que algunos versos son más cortos que otros. Dependiendo de su longitud, cuando tienen hasta ocho sílabas se les conoce como **arte menor** y de nueve sílabas en adelante como **arte mayor**. Nosotros podremos llamarlos cortos y largos, que lo importante es saberlos reconocer.

Los versos se nombran de acuerdo al número de sílabas que tienen. Por ejemplo, el de seis sílabas se llama **hexasílabo** (hexa=6, de seis sílabas) y el de doce es **dodecasílabo** (dodeca=12, de doce sílabas). Los más usados en la poesía en castellano son el **octosílabo**, de ocho sílabas —cuando de arte menor (versos cortos) se trata— y el **endecasílabo** —al utilizar el arte mayor—, que tiene once sílabas.

¿Podrías identificar el número de sílabas de cada verso y darles un nombre? Para el primero nos ayudará Trofa y luego será tu turno.

• • • • • •

BUDA DE NIEVE

Buda de nieve
ves pasar el verano
sin derretirte.

—LEAFAR

Bu	da	de	nie	ve			
●	❍	❍	●	❍			*5 = Pentasílabo*
ves	pa	sar	el	ve	ra	no	
●	❍	●	❍	❍	●	❍	*7 = Heptasílabo*
sin	de	rre	tir	te			
●	❍	❍	●	❍			*5 = Pentasílabo*

• • • • • •

CASTIGO

Injusto castigo
por falta tan pequeña, señores
es triste ver al amigo
atado por morder las flores.

—Leafar

Puedes ayudarte de una cuadrícula en tu libreta para hacer la división de las sílabas y asignarles bola blanca o bola negra. Así te será más fácil identificar el ritmo.

En los dos ejemplos anteriores se presenta una combinación de versos con diferentes longitudes, pero el ritmo se logra cuando el principio y el final de los versos coinciden en su acentuación. El poema del buda lo podríamos acomodar como siguc:

Bu	da			de	nie	ve
●	❍			❍	●	❍
Ves	pa	sar	el	ve	ra	no
●	❍	●	❍	❍	●	❍
Sin	de			rre	tir	te
●	❍			❍	●	❍

Así podremos ver de manera más fácil cómo se sigue repitiendo un patrón sonoro. ¿Podrías hacer tú lo mismo con el otro poema?

Sigamos jugando con el tambor. Veamos qué tan bien lo logras con el siguiente poema.

• • • • • •

ARDILLA

La ardilla come una nuez,
el árbol es su guarida,
el bosque siente, a su vez,
cómo se alegra su vida.

—LEAFAR

Si te costó trabajo, no te preocupes. En este poema se presenta una combinación que es muy frecuente en el castellano y que pronto aprenderemos a manejar e identificar. Cuando repetimos en voz alta "*la ardilla*" pegamos las letras "**a**" y pronunciamos "*lar-di-lla*". Lo mismo pasa al decir "*come una nuez*", en donde juntamos la "**e**" con la "**u**" en una sola emisión de voz como "*co-***meu***-na-nuez*". Veamos entonces cómo acompañar con el tambor el primer verso.

La ar – **di** – lla – **co** me u – na – **nuez.**

Débil – **fuerte** – débil – **fuerte** – débil – débil – **fuerte.**

❍ ● ❍ ● ❍ ❍ ●

Cuando juntamos en un solo sonido una palabra que termina en vocal con otra que comienza en vocal se llama **sinalefa** y la encontramos todo el tiempo mientras hablamos.

¿Te atreves a identificar las sinalefas en el poema? Cópialo en tu libreta y enciérralas en un círculo con tu color favorito.

Te daré un truco para poder identificar mejor a las sinalefas, aunque la mejor manera es fijarte si al decir una palabra lo haces como un solo sonido o con dos. Unas vocales son más fuertes que otras:

i e **a** o u

Nuestra voz irá creciendo o haciéndose chiquita al decirlas juntas. Podemos subir y bajar en un solo sonido —como al cruzar un puente—, pero al bajar y volver a subir —como si pasáramos un túnel— tendremos que emitir dos sonidos. Repite en voz alta las combinaciones de palabras y verás lo que te digo.

escaler**a a**rriba	**aa**	dos letras del mismo tamaño
tien**e o**lores	**eo**	dos letras del mismo tamaño
hombr**e i**nteligente	**ei**	se hace pequeña
cas**i a**cabo	**ia**	se hace grande
Acarici**o a**l perro	**ioa**	se hace grande
llam**a a Eu**genia	**aaeu**	se hace pequeño
famil**ia hu**milde	**iau**	como un puente (la h no suena)
med**io a Eu**ropa	**ioaeu**	como un puente
sencill**o y hu**mano	**oiu**	se hace pequeño (la y cuenta como i)
baj**ó y a**brió	**oia**	como un túnel (no es sinalefa)
arrib**a y a**delante	**aia**	como un túnel (no es sinalefa)

¿Notaste que en los dos últimos ejemplos necesitaste doble sonido para lograr la acentuación? Esto quiere decir que no se crea la sinalefa.

Vuelve al poema y revisa que hayas identificado todas las sinalefas correctamente.

Ya que las has identificado y marcado, ahora podemos repetir todo el poema acompañados por el tambor. Trofa nos ayudará a llevar el ritmo.

La ar ❍	**di** ●	lla ❍	**co** ●	me u ❍	na ❍	**nuez** ●	
el ❍	**ár** ●	bol ❍	**es** ●	su ❍	gua ❍	**ri** ●	da ❍
el ❍	**bos** ●	que ❍	**sien** ●	te a ❍	su ❍	**vez** ●	
a ❍	**le** ●	gre ❍	**to** ●	da ❍	la ❍	**vi** ●	da ❍

Los versos no son del mismo tamaño. El primero y el tercero son de siete sílabas y los otros son de ocho, pero se oyen bien. Esto es porque se empatan los sonidos de los tonos fuertes. Es decir, que cuando un verso termina con la sílaba tónica, le sumamos uno a su cuenta. Por lo anterior, podemos decir que toda esta estrofa está formada por versos octosílabos.

¿Qué crees que pasaría con una palabra que tenga la sílaba tónica lejos del final, como cráteres o límite?

• • • • • •

CORTANDO FLORES

La barda marca su límite,
adentro crecen las flores,
jardín y amor son mis cómplices,
las corto para que adornen.

—LEAFAR

Veamos cómo podría acomodarse.

La ❍	**bar** ●	da ❍	**mar** ●	ca ❍	su ❍	**lí** ●	mi ❍	te, ❍
a ❍	**den** ●	tro ❍	**cre** ●	cen ❍	las ❍	**flo** ●	res, ❍	
jar ❍	**dín** ●	y a ❍	**mor** ●	son ❍	mis ❍	**cóm** ●	pli ❍	ces, ❍
las ❍	**cor** ●	to ❍	**pa** ●	ra ❍	que a ❍	**dor** ●	nen. ❍	

Exactamente. Cuando encontremos la sílaba tónica en la tercera posición, contando para atrás (palabra esdrújula), pues le restamos una sílaba a la métrica del verso. ¿Cómo se llamaría el primer verso? Pues también octosílabo, porque en este caso se restó uno a la cuenta de las sílabas.

No olvides fijarte también en la rima de los poemas que vayamos analizando. En este caso tenemos **ABA'B'**.

¿Crees que podrás hacerlo tú solo? Inténtalo con el próximo poema.

EL TREN TRAVIESO

Yo voy a hacer un gran viaje.
Quiero saltar de alegría.
Prepararé mi equipaje
y esperaré mi gran día.

Un largo tren ha venido
para llevarme al Perú.
Puedo escuchar su sonido:
chú-cu-chu-chú-cu-chu-chú.

Para tener buen ambiente
sólo me faltas ya tú.
Ven a cantar con la gente:
chú-cu-chu-chú-cu-chu-chú.

Todos iremos cantando
esa canción de Mambrú,
mientras el tren va sonando:
chú-cu-chu-chú-cu-chu-chú.

¡Cielos, mi tren se ha escapado!
¡Ya no me voy!... ¡Tururú!
En la estación me he quedado
cantando: chú-cu-chu-chú.

—J.A.Carbonell

Trofa nos ayudará con la primera cuarteta.

Yo ●	voy ❍	a ha ❍	**cer** ●	un ❍	gran ❍	**via** ●	je ❍
Quie ●	ro ❍	sal ❍	**tar** ●	de a ❍	le ❍	**grí** ●	a ❍
Pre ●	pa ❍	ra ❍	**ré** ●	mi e ❍	qui ❍	**pa** ●	je ❍
y es ●	pe ❍	ra ❍	**ré** ●	mi ❍	gran ❍	**dí** ●	a ❍

Es tu turno. Separa las sílabas e identifica el ritmo en tu libreta. Ayúdate de la cuadrícula y de las bolitas como lo hizo Trofa. Después repite el poema con tu tambor. ¿Verdad que parece que estamos escuchando el chú-cu-chu-chú del tren?

Quiero aprovechar este poema para platicarte de otros elementos que ayudan mucho a la musicalidad del poema y que consisten en la repetición de algunos sonidos, como la rima, pero a lo largo del poema.

La repetición constante del "*chu*" y del "*cu*" en el poema corresponden a otra de las figuras retóricas que no mencionamos en el capítulo 5 y se conoce como **aliteración**.

También podríamos decir que la combinación "*chú-cu-chu-chú*" se parece al sonido que hacen los vagones cuando ruedan sobre los rieles. La figura retórica de imitar con palabras algún sonido es conocida como **onomatopeya.** Quizás el nombre te suene complicado, pero estoy seguro que te será más sencillo identificar la onomatopeya de la vaca o del perro.

Por último, te digo que la repetición es un elemento que nos ayuda en la creación de ritmo para un poema, pues podemos repetir varias veces la misma palabra y logramos que esa palabra penetre en la mente de los lectores.

• • • • • •

MIS NIÑOS

Mis niños son color oro,
mis niños son color miel,
mis niños son amarillos
o blancos como el papel.
Negros o marrón clarito,
flacos, gorditos, medianos,
¡todos mis niños son lindos!
Niños, son todos hermanos.

—Arcoiris

¿Cuántas veces se repite la palabra "*niños*" en el poema?

CAPÍTULO OCHO

Formas poéticas

Materiales

Para desarrollar las actividades de este capítulo necesitarás lápiz, colores, borrador y tu libreta.

Son muchas las formas que puede tener un poema. Puede estar compuesto por sólo dos versos o, por el contrario, tener gran número de ellos. A su vez, los versos pueden estar agrupados en estrofas o formar un solo grupo. Por otra parte, pueden tener todos el mismo número de sílabas o no. Todo esto es algo que sólo depende del gusto del poeta, por lo que cualquier agrupación de versos o estrofas podría ser denominada "poema". Sin embargo, a lo largo de la historia, los autores han mostrado preferencia por unos determinados **modelos de estrofa** y **patrones métricos** cuya especial musicalidad o ritmo los hacen más agradables a la lectura o al oído.

Te recuerdo que no debes escribir
en el libro, para que otros niños puedan
disfrutarlo y aprender tanto como tú.
Copia los poemas-ejemplo en tu libreta
para resolver los ejercicios.

Así, atendiendo al número de estrofas, podemos considerar que existen dos clases de poemas: aquéllos formados por una sola estrofa o agrupación de versos, a los que se les conoce como **monoestróficos**; y los que están formados por más de una estrofa, conocidos como **poliestróficos.**

No debes preocuparte mucho por estas palabras tan difíciles. Lo importante es que sepas que el poeta decide siempre cuál será la forma de su poema.

En el capítulo anterior platicamos de los versos cortos y versos largos a los que habíamos llamado arte menor (hasta 8 sílabas) y arte mayor (de 9 sílabas en adelante).

A lo largo de la historia se han escrito muchas formas de poemas con estrofas, tipos de rima y métrica fijos, a los cuales se les conoce con nombres específicos. No te presentaré aquí todos los tipos de poemas que existen. Tan sólo te mostraré los más importantes. Tampoco es necesario que memorices sus nombres o sus formatos; fíjate más bien en cuáles te parecen más atractivos para que tú también puedas usarlos. Pero es interesante que, al menos, hagas los ejercicios que te propongo. Es muy curioso comprobar que podemos escribir poesía de muchas formas diferentes, y que todas resultan hermosas y divertidas.

No olvides marcar la rima con diferentes colores para que te sea más fácil identificarla y también te recomiendo que verifiques la métrica y el ritmo. Verás qué fácil es.

Comencemos con los poemas de arte menor formados por una sola estrofa. El primero de la lista es una estrofa sencillísima de sólo dos versos rimados, de uso muy común y que resulta fácil de memorizar. Muchos refranes tienen, precisamente, este formato. Se conoce como **pareado** y sus características son:

DENOMINACIÓN: PAREADO TIPO DE RIMA: CONSONANTE		
RIMAS	SILABAS	POEMA-EJEMPLO
A	8	No es honrado ni es decente
A	8	quien no respeta a la gente.
		—J.A. CARBONELL

Seguro que te atreves a escribir un pareado. No te preocupes si te resulta algo difícil al principio, y no temas emborronar papel. Insiste y lo conseguirás. Trata sólo de expresar una idea sencilla dividida en dos versos e intenta ajustar la medida y la rima.

El siguiente en la lista es el **tercetillo**, que consta de tres versos de arte menor, rimando el primero con el tercero, y quedando libre el segundo. Su esquema sería:

DENOMINACIÓN: TERCETILLO TIPO DE RIMA: CONSONANTE		
RIMAS	SILABAS	POEMA-EJEMPLO
A	8	Lo que otros ya encontraron
-	8	es inútil que lo busques
A	8	pues ya se te anticiparon.
		—J.A. CARBONELL

¿Te atreves con el tercetillo? Si ya lograste escribir un pareado, no te resultará mucho más difícil escribir uno. Ánimo y fíjate en el poema-ejemplo.

La **cuarteta** tiene cuatro versos que riman los pares e impares entre sí.

DENOMINACIÓN: CUARTETA TIPO DE RIMA: CONSONANTE		
RIMAS	SILABAS	POEMA-EJEMPLO
A	8	Si eres poeta en tus sueños
B	8	piensa en quienes ya lo fueron,
A	8	porque desde muy pequeños
B	8	antes de escribir, leyeron.
		—J.A. CARBONELL

Seguro que el pareado y el tercetillo no te resultaron tan difíciles. Si has comprendido bien cómo es una cuarteta, tal vez sea el momento de que intentes escribir la tuya. No descuides la medida de los versos (número de sílabas, que aquí ha de ser 8) y la rima consonante.

Antes de seguir aumentando el número de versos, veamos otra posibilidad con la estrofa de cuatro versos. Cuando la rima es del primero con el cuarto y el segundo con el tercero, la estrofa se conoce como **redondilla**.

DENOMINACIÓN: REDONDILLA TIPO DE RIMA: CONSONANTE		
RIMAS	**SILABAS**	**POEMA-EJEMPLO**
A	8	El espejo me devuelve
B	8	una imagen que detesto;
B	8	que otros me encuentren apuesto
A	8	mi problema no resuelve.
		—J.A. CARBONELL

La redondilla es muy parecida a la cuarteta, con la única diferencia de que cambia el orden de la rima. Sólo si te apetece, puedes intentar crear una.

Podemos jugar con la cuarteta y la redondilla. ¿Qué pasa si en el poema anterior invertimos el orden de los versos 3 y 4? ¡Claro, ahora tendríamos una cuarteta!

EN FORMA DE REDONDILLA

El espejo me devuelve
una imagen que detesto;
que otros me encuentren apuesto
mi problema no resuelve.

EN FORMA DE CUARTETA

El espejo me devuelve
una imagen que detesto;
mi problema no resuelve
que otros me encuentren apuesto.

¿Cuál de las dos versiones te gusta más? No es posible hacer esto siempre, pues puede perderse el sentido de lo que dice el poema. Haz la prueba con la cuarteta que te presenté primero y con la que tú escribiste.

Ahora sí, sigamos haciendo crecer el número de versos. Como su propio nombre indica, la **quintilla** está formada por cinco versos que riman pares entre sí e impares entre sí. Aquí vemos su esquema:

Denominación: Quintilla Tipo de rima: Consonante		
Rimas	**Silabas**	**Poema-ejemplo**
A	8	Juan se lo contó a Vicente;
B	8	por él se enteró Felisa,
A	8	que lo refirió, imprudente,
B	8	a Lola, Pepita y Luisa.
A	8	¡No sabe callar la gente!
		—J.A. Carbonell

¿De cuántos versos crees que se componga una **sextilla**? Intenta escribir una y piensa en las múltiples combinaciones que dispones para la rima consonante: ABABAB, ABCABC, ABC-CAB, ABBACC y otras que se te puedan ocurrir. También puedes jugar con el orden de los versos para modificar el esquema de la rima.

A estas alturas, ya habrás adivinado que la **octavilla** tiene ocho versos. También puedes ir comprobando que conforme avanzamos y aumenta el número de versos que componen cada poema, su rima se va haciendo un poco más complicada, pero ofrece mayor número de opciones. Copia el poema, fíjate bien en el esquema y colorea la rima para verlo fácil:

Denominación: Octavilla Tipo de rima: Consonante		
Rimas	**Silabas**	**Poema-ejemplo**
A	8	Dicen que nada hay de cierto
B	8	en que duendes, geniecillos,

B	8	hadas buenas y enanillos
C	8	habiten bosques y selvas.
A	8	Sin embargo, he descubierto
D	8	que, escondidos tras las ramas,
D	8	entre arbustos y retamas,
C'	8	miles de ojos nos observan.
		—J.A. CARBONELL

La **décima,** también llamada **espinela,** es uno de los formatos de poemas con mayor dificultad, pero también resulta de los más bellos y de mejor impacto sonoro.

DENOMINACIÓN: DÉCIMA O ESPINELA TIPO DE RIMA: CONSONANTE		
RIMAS	SILABAS	POEMA-EJEMPLO
A	8	Bienaventurado sea
B	8	el que, huyendo del ruïdo,
B	8	con rumbo desconocido
A	8	deje atrás cuanto posea
A	8	en busca de una marea
C	8	que arrastre sus frustraciones,
C	8	que colme sus ambiciones
D	8	y que, en silenciosa calma,
D	8	sepa apaciguar su alma
C	8	y escuche sus oraciones.
		—J.A. CARBONELL

Ahora que ya conoces los principales formatos de estrofas de arte menor, seguro que tienes mucho más claro cómo quieres que sean tus poemas. Procura practicar las diversas formas que acabamos de ver antes de pasar a las composiciones que tienen más de una estrofa. Ya verás que, con la práctica, lo irás encontrando cada vez más fácil.

Hasta ahora, todos los poemas que hemos visto constaban sólo de una estrofa. Pero, como ya dijimos, existen también poemas formados por varias estrofas.

Una de las formas más conocidas es el **sonetillo,** que está compuesto de dos cuartetas y dos tercetillos. La rima puede presentar diferentes combinaciones. Te mostramos, como ejemplo, una de las más usadas. En este tipo de poemas que constan de varias estrofas, la dificultad a la hora de escribirlo aumenta considerablemente, ya que es necesario encadenar mediante la rima unas estrofas con otras. Observa con atención la disposición de éstas y el encadenamiento de las rimas. Una vez más te recuerdo que será más fácil que lo veas si lo copias en tu libreta y utilizas los colores.

DENOMINACIÓN: SONETILLO
TIPO DE RIMA: CONSONANTE

RIMAS	SILABAS	POEMA-EJEMPLO
A	8	Me encargan un sonetillo
B	8	por ser yo niño poeta.
A	8	Pese a que soy un chiquillo,
B	8	planto cara a quien me reta.

A	8	La métrica no mancillo
B	8	tampoco en esta cuarteta
A	8	y a mi retador humillo.
B	8	No nació quien me someta.
C	8	Del tercetillo es la rima
B	8	diferente a la cuarteta
D	8	lo que sencillo parece.
C	8	Si mi retador estima
B	8	que no hay en mí un poeta,
D	8	el infierno se merece.
		—J.A. CARBONELL

¿Crees que se podrían cambiar las cuartetas por redondillas? Desde luego que sí, pero es necesario que las dos primeras estrofas tengan la misma rima, de modo que si se cambia la primera, habrá que cambiar también la segunda. La rima de los dos tercetillos es más flexible y puedes probar con diferentes combinaciones.

Otra de las formas poliestróficas de arte menor (recuerda que ya habíamos usado estas palabras antes) es la **musa**. Se compone habitualmente de dos redondillas encadenadas seguidas por una décima o espinela. Como el sonetillo, resulta de cierta complejidad, pero pronto serás capaz de escribir tu primera musa. Fíjate bien en el esquema con el siguiente poema:

Denominación: Musa Tipo de rima: Consonante		
Rimas	**Silabas**	**Poema-ejemplo**
A	8	Un ratoncillo asustado
B	8	escondiose en un puchero
B	8	huyendo del gato fiero
A	8	para evitar ser cazado.
B	8	Notando el calor, empero,
C	8	del potaje en que se hallaba,
C	8	supo bien que se quemaba
B	8	por su cuerpo todo entero.
C	8	Tras agarrarse de un haba,
D	8	empezó a pedir socorro,
D	8	y, asomando el gato el morro,
C	8	por un momento dudaba.
C	8	Al fin, de esta forma hablaba:
E	8	"No salvaré tu pellejo
E	8	porque ya soy gato viejo.
F	8	Yo sólo quise jugar;
F	8	tú preferiste escapar,
E	8	y en tu escondite te dejo". —J.A. Carbonell

Existen otras formas poéticas que, aparentemente, son menos rígidas, pero que encierran una belleza y una complejidad que las hace importantes. Una de ellas es el **romance**. Los versos son octosílabos pero no nos marca un tamaño específico de estrofa. El esquema para la rima debe ser asonante de la siguiente manera: el primer verso es libre y el

segundo nos marca el patrón a seguir, el tercero es libre y en el cuarto rima con el segundo. Se sigue así a lo largo de toda la estrofa, dejando uno libre y otro rimado en asonante con el segundo. Esta forma poética se utilizó mucho para narrar historias. Veamos un ejemplo:

DENOMINACIÓN: ROMANCE TIPO DE RIMA: ASONANTE		
RIMAS	SILABAS	POEMA-EJEMPLO
-	8	Según cuenta la leyenda
A	8	Nitsuga era un gran guerrero,
-	8	con los campos de batalla
A’	8	soñaba desde pequeño.
-	8	Fue incrementando su fuerza,
A”	8	su equilibrio y sus reflejos;
-	8	cada día se enfrentaba
A’”	8	con un enemigo nuevo,
-	8	cada vez más poderosos
A””	8	sin que lograran vencerlo.
-	8	Al saber de la noticia
B	8	de su creciente destreza,
-	8	el gran guerrero del Sur
B’	8	anunció que en esta tierra
-	8	llegará para retarlo
B”	8	tan pronto como amanezca.

-	8	Se encontraron frente a frente
C	8	la pareja de guerreros,
-	8	el visitante del Sur
C'	8	más grande por medio metro
-	8	sin importarle a Nitsuga,
C"	8	sin hacerle sentir miedo.
-	8	Se miraron a los ojos,
C"'	8	se acercaron en silencio,
-	8	tomaron sus posiciones
C""	8	y encendieron el Nintendo.
		—LEAFAR

Aunque no importa el largo de las estrofas, si vuelves a leer el poema en voz alta podrás notar que la repetición del sonido asonante **e-o** en la primera y la tercera estrofas resulta de mayor impacto y musicalidad que el patrón de rima **e-a** de la segunda estrofa, que es más corta. El ritmo en esta forma de poema es el vehículo que transporta la idea del poeta hasta el oído de quien lo escucha.

Piensa en una historia y trata de contarla utilizando la forma del romance. Estoy convencido de que podrás hacerlo.

Antes de pasar a los poemas de arte mayor, debes ejercitar mucho tu destreza con los de arte menor. Recuerda que es más sencillo escribir versos de 8 sílabas que versos de 11 o más. Intenta escribir octavillas y décimas. Podrías también tratar de hacer un sonetillo (a fin de cuentas se compone de cuartetas y tercetillos, que ya has practicado). Busca un tema sencillo; no es necesario que digas grandes cosas. Lo importante es que practiques y disfrutes con ello. No olvides leer en voz alta y golpear rítmicamente con el tambor en las sílabas tónicas, porque puede

ayudarte mucho para trabajar en el ritmo y la musicalidad de tus composiciones.

Buena parte de los formatos de poemas de arte mayor tienen las mismas características que los de arte menor en cuanto a la rima, diferenciándose sólo en la medida de sus versos. La mayoría de los ejemplos de arte mayor que aquí verás están formados por versos de 11 sílabas (endecasílabos), por ser los que más se han usado por los grandes poetas. Sin embargo, no olvides que cualquier medida de verso es válida en el arte mayor, siempre que sea superior a 8 sílabas. Trofa se ocupará de explicártelo todo, y tendrás que demostrarle tus progresos.

Al igual que lo hicimos con los poemas de arte menor, comenzaremos con los que están compuestos por una sola estrofa. El **pareado** es una sencilla estrofa que consta de sólo dos versos con rima consonante, que en el arte mayor han de tener más de 8 sílabas.

En el esquema que tienes debajo, donde se muestran las características del pareado de arte mayor, ¿sabrías decir tú mismo el número de sílabas que tiene cada verso? Sólo tienes que contarlas en el poema-ejemplo.

DENOMINACIÓN: PAREADO TIPO DE RIMA: CONSONANTE		
RIMAS	SILABAS	POEMA-EJEMPLO
A	?	Si sólo un verso tienes preparado,
A	?	con uno más ya tendrás un pareado.
		—J.A. CARBONELL

Nada difícil, ¿verdad? Ahora es el momento de que me regales tu pareado de arte mayor.

El **terceto** se forma con tres versos de arte mayor que riman el primero con el tercero, y queda libre el segundo.

En el esquema del terceto que aparece a continuación, olvidé poner qué tipo de rima ha de tener (consonante o asonante). Tú mismo puedes ayudarme, observando detenidamente cómo riman los versos primero y tercero del poema-ejemplo.

DENOMINACIÓN: TERCETO TIPO DE RIMA: ?		
RIMAS	SILABAS	POEMA-EJEMPLO
A	11	Desde niños, los poetas aprenden
-	11	a casar las palabras con destreza,
A	11	y, al crecer, con su arte nos sorprenden.
		—J.A. CARBONELL

Y, después de demostrarme que lo sabes casi todo, espero leer tu terceto.

¿Sabrías decir de cuántos versos consta un **cuarteto**? Exacto. Su propio nombre te lo indica claramente: un cuarteto tiene 4 versos de arte mayor. La rima es la misma que la que vimos para la redondilla, es decir, rima el primer verso con el cuarto y el segundo con el tercero. Compruébalo en el ejemplo, y no olvides hacer el conteo de sílabas:

DENOMINACIÓN: CUARTETO TIPO DE RIMA: CONSONANTE		
RIMAS	SILABAS	POEMA-EJEMPLO
A	11	—¡Olvídeme este mundo mientras viva!
B	11	—grité a los cuatro vientos, con el alma.
B	11	En medio de un hermoso mar en calma,
A	11	flotaba con mi bote a la deriva.
		—J.A. CARBONELL

A pesar de su extraño nombre, el **serventesio** no es otra cosa que un cuarteto con la rima cambiada, es decir, riman los pares y los impares entre sí. Fíjate bien en el esquema:

DENOMINACIÓN: SERVENTESIO TIPO DE RIMA: CONSONANTE		
RIMAS	SILABAS	POEMA-EJEMPLO
?	11	Vigila el buen pastor a su rebaño;
?	11	recela y desconfía de algún robo,
?	11	en tanto que planea el vil engaño,
?	11	oteando la llanura, el viejo lobo.
		—J.A. CARBONELL

¡Qué mala cabeza la mía! Como ves, en el cuadro anterior se me olvidó decirte cuál es el esquema de rima del serventesio, pero estoy seguro de que tú podrás identificarlo, según lo

explicado más arriba, si te fijas en cómo riman los versos del poema-ejemplo.

Tal y como lo hicimos con la cuarteta y la redondilla, también es posible jugar con el orden de los versos para convertir el cuarteto en serventesio y viceversa, siempre y cuando no se pierda el sentido de lo que decimos.

EN FORMA DE CUARTETO

—¡Olvídeme este mundo mientras viva!
—grité a los cuatro vientos, con el alma.
En medio de un hermoso mar en calma,
flotaba con mi bote a la deriva.

EN FORMA DE SERVENTESIO

—¡Olvídeme este mundo mientras viva!
—grité a los cuatro vientos, con el alma.
Flotaba con mi bote a la deriva
en medio de un hermoso mar en calma.

EN FORMA DE CUARTETO

Celoso y desconfiado de algún robo,
vigila el buen pastor a su rebaño;
en tanto que planea el vil engaño,
oteando la llanura, el viejo lobo.

EN FORMA DE SERVENTESIO

Vigila el buen pastor a su rebaño;
recela y desconfía de algún robo,
en tanto que planea el vil engaño,
oteando la llanura, el viejo lobo.

Al igual que el de arte menor, el **quinteto** de arte mayor consta de cinco versos largos. La rima es también de versos pares e impares entre sí.

Denominación: Quinteto Tipo de rima: Consonante		
Rimas	**Silabas**	**Poema-ejemplo**
A	11	Cantaba a su ranita mamá rana,
B	11	tratando de lograr que se durmiera,
A	11	mas ella de dormir no tuvo gana.
B	11	(Jamás se dormirá quien no lo quiera).
A	11	Y así cantó y cantó hasta la mañana.
		—J.A. Carbonell

Una pobre oruguita como yo ha podido escribir un quinteto de arte mayor. ¿No vas a poder hacerlo tú? Es muy fácil. ¡Ánimo!

La denominación **octava real**, una vez más, nos indica que la estrofa está formada por 8 versos de arte mayor. En los seis primeros versos, la rima es también de pares e impares entre sí, pero los dos últimos forman un pareado que queda libre respecto al resto del poema. Lo verás más claro en el esquema y ejemplo siguientes. Copia el poema y utiliza tus colores.

Denominación: Octava Real Tipo de rima: Consonante		
Rimas	**Silabas**	**Poema-ejemplo**
A	?	Millares de palabras sin sentido
B	11	se cruzan en la mente del que escribe;
A	11	se unen, se entremezclan, hacen nido,
B	11	se enojan si es que no se las percibe.
A	?	Algunas sólo son un alarido
B	11	cuya profundidad no se concibe.

C	11	Pudiera ser que muchos escritores
C	11	disfracen de poemas sus dolores.
		—J.A. CARBONELL

Si has leído con atención la explicación de la octava real, te reirás cuando te pida que descubras en el esquema anterior los conteos de sílabas que otra vez olvidé escribir.

Los poemas de arte mayor que constan de más de una estrofa son un espejo de los que analizamos para el arte menor. Uno de los más importantes es el **soneto**, que como su hermano menor, el sonetillo, es una de las formas poéticas más complejas que existen. La estructura del soneto es la misma que la del sonetillo, es decir, dos estrofas de cuatro versos (aquí cuartetos) y dos estrofas de tres versos (aquí tercetos). Así pues, sonetillo y soneto se diferencian tan sólo en la medida de sus versos, que en el soneto han de ser, sin excepción, de 11 sílabas. El esquema de rima, sin embargo, varía con frecuencia, pudiendo presentar, sobre todo en los tercetos, diversas combinaciones. Una de las más usadas es la que aparece en el ejemplo:

DENOMINACIÓN: SONETO
TIPO DE RIMA: CONSONANTE

RIMAS	SILABAS	POEMA-EJEMPLO
A	11	Vamos a practicar con un soneto
B	11	que ayude a comprobar lo que sabemos.
B	11	Habré logrado que lo comencemos
A	11	si puedo construir un buen cuarteto.
A	11	Tan sólo a la fortuna yo someto
B	11	que ahora en el segundo trabajemos.

B	11	Es fácil, como ves, que lo acabemos
A	11	ganándonos de todos el respeto.
C	11	Empiezo a suponer que es factible
D	11	porque con un terceto he comenzado
C	11	por mucho que parezca increíble.
D	11	Otro terceto más y está probado
C	11	que todo al que se esfuerza le es posible,
D	11	pues el soneto ya está terminado.
		—J.A. CARBONELL

Sé que tienes el talento y la preparación necesarios para intentar escribir tu primer soneto. Si ya compusiste un sonetillo al estudiar el arte menor, no te resultará mucho más difícil hacerlo en arte mayor. Sabes escribir cuartetos y tercetos, y de ellos se compone un soneto. Fíjate bien en el poema-ejemplo y en su esquema de rima, observando cómo ésta se encadena a lo largo del poema.

Aún más complicada que la del soneto es la estructura de la **musa.** El ejemplo que sigue te muestra con claridad tanto el tipo de estrofas que la componen como la rima que suele presentar.

DENOMINACIÓN: MUSA
TIPO DE RIMA: CONSONANTE

RIMAS	SILABAS	POEMA-EJEMPLO
A	11	Vivía un gusanito felizmente
B	11	en una gran manzana colorada
B	11	que un niño, en un cajón, dejó olvidada
A	11	por no querer comerla, inapetente.

B	11	Mas quiso la fortuna, despiadada,
C	11	que un hombre muy glotón apareciera
C	11	y, hambriento, la manzana descubriera,
B	11	dejándola muy pronto devorada.
C	11	Aunque el gusano bien no lo supiera,
D	11	al punto comprendió qué sucedía,
D	11	y comenzó a gritar: —¡Ay, madre mía,
C	11	se me tragaron con mi casa entera!
C	11	Como el tragón aquella voz oyera,
E	11	hablole de esta forma al gusanito:
E	11	—¿Acaso tu vivir no facilito
F	11	llevándote en mi buche de por vida?
F	11	Conmigo no te faltará comida,
E	11	y siempre vivirás muy calentito.
		—J.A. CARBONELL

Existen otros formatos poéticos que no requieren de un rigor en la rima como los que hemos visto hasta ahora. Ejemplos de ello son el caligrama y el acróstico, de los cuales ya platicamos en un capítulo anterior.

El **haikú** es un breve formato de poema, de origen japonés, con una estructura muy sencilla. Suele tener 17 sílabas en total, que se reparten de la forma que puedes ver en el esquema (5 – 7 – 5). Lo que más rápidamente puede llamarte la atención es que no tiene rima alguna; todo su encanto está en la sencillez. El tema original del haikú se refería a la contemplación de la naturaleza y al alma de todos los seres vivos, pero cuando se adoptó esta forma en la poesía en castellano, se comenzó a utilizar con otros temas.

DENOMINACIÓN: HAIKÚ TIPO DE RIMA: SIN RIMA		
RIMAS	SILABAS	POEMA-EJEMPLO
-	5	Cayendo nieve,
-	7	calles desiertas, calma.
-	5	Es Nochebuena.
		—J.A. CARBONELL

Trofa quiere tener una colección de haikus. ¿La ayudarías a seleccionar cuáles sí lo son y cuáles no? Escribe en tu libreta los números de los que sí cumplen con los requisitos.

• • • • • •

POEMA

1.	*Pequeña pulga,* *tú conviertes al perro* *en guitarrista.* —LEAFAR
2.	*Cielo azul* *los reflejos de agua* *ligeras nubes.* —LOLA
3.	*Piedritas de agua* *rocío que da esplendor* *al canto del corazón.* —LOLA
4.	*Bajan del cielo* *adornan el invierno* *perlas de nácar.* —LOLA

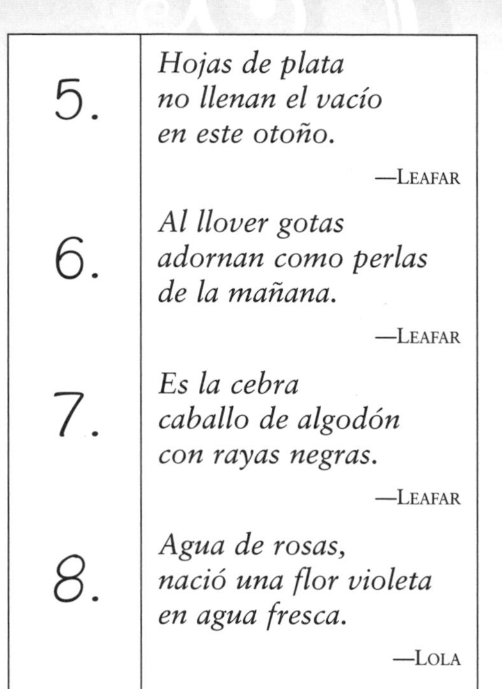

5.	*Hojas de plata* *no llenan el vacío* *en este otoño.* —Leafar
6.	*Al llover gotas* *adornan como perlas* *de la mañana.* —Leafar
7.	*Es la cebra* *caballo de algodón* *con rayas negras.* —Leafar
8.	*Agua de rosas,* *nació una flor violeta* *en agua fresca.* —Lola

Estoy seguro de que te gustaría mucho tener una colección completa de composiciones tuyas con todos los formatos de estrofas o poemas que te he presentado. Trata de escribir aquéllos que no tengas todavía y completa tu primer cuaderno de poemas.

CAPÍTULO NUEVE

Tendencias actuales de la poesía

Materiales

Para desarrollar las actividades de este capítulo necesitarás un instrumento de percusión —como un tambor o un pandero—, lápiz, colores, borrador y tu libreta.

Ya habrás detectado que existen algunos poemas que no cumplen con las reglas de la poesía que te hemos venido presentando. La poesía moderna, sobre todo a partir de los inicios del siglo XX, ha abierto sus posibilidades a un estilo fundamentado en la rica expresión de los sentimientos y las ideas mediante palabras, pero que no sigue las reglas de la rima, métrica y ritmo.

Si bien los conceptos aún hoy día parecen no estar muy claros, puesto que existen divergencias entre unos y otros autores, nosotros queremos presentarte brevemente el tema básico de *libertad* a la hora de escribir poesía, que parece haberse impuesto en muchos poetas modernos y ha ido ganando adeptos también entre los lectores de poesía.

Para escribir poesía en verso libre todo poeta debería conocer primero las reglas y las formas de la poesía clásica, es decir, sus fundamentos. Sólo entonces podrá decidir cuál de las reglas desea omitir, pero de manera consciente y controlada, de tal forma que se apoye en el resto como soporte de sus poemas.

Escribimos en **verso libre** cuando no utilizamos la rima ni mantenemos una unidad de medida ni de ritmo dentro de la estrofa. La poesía en verso libre está muy próxima a la prosa poética, de la que se distingue por la disposición de las líneas de texto en forma de versos.

Para verlo más claro, podemos partir de un fragmento de prosa poética como éste:

Las flores despertaron bañadas con perlas de rocío, iluminaban la mañana con aromas y colores que asomaron por mi ventana.

El tipo de palabras se parece a lo que hemos utilizado en los poemas, pero su estructura no esta constituida por versos y estrofas, además de que no tiene rima.

Si presentamos la misma idea, pero cortamos el texto dándole formato de versos, aunque no rimen ni tengan igual medida de sílabas entre sí, tendremos un estilo de verso libre:

• • • • • •

AMANECER (FRAGMENTO)

Las flores despertaron
bañadas con perlas de rocío,
iluminaban la mañana

con aromas y colores
que asomaron por mi ventana.

—Leafar

Si analizamos el poema de acuerdo a lo estudiado en los capítulos anteriores tendremos:

<table>
<tr><td>Las
○</td><td>flo
●</td><td>res
○</td><td>des
○</td><td>per
○</td><td>ta
●</td><td>ron
○</td><td></td><td></td><td></td></tr>
<tr><td>ba
○</td><td>ña
●</td><td>das
○</td><td>con
○</td><td>per
●</td><td>las
○</td><td>de
○</td><td>ro
○</td><td>cí
●</td><td>o,
○</td></tr>
<tr><td>i
○</td><td>lu
○</td><td>mi
○</td><td>na
●</td><td>ban
○</td><td>la
○</td><td>ma
○</td><td>ña
●</td><td>na
○</td><td></td></tr>
<tr><td>con
○</td><td>a
○</td><td>ro
●</td><td>mas
○</td><td>y
○</td><td>co
○</td><td>lo
●</td><td>res
○</td><td></td><td></td></tr>
<tr><td>que a
○</td><td>so
○</td><td>ma
●</td><td>ron
○</td><td>por
○</td><td>mi
○</td><td>ven
○</td><td>ta
●</td><td>na
○</td><td></td></tr>
</table>

El resultado, como vemos, es un poema escrito a base de versos sin rima común, en los que tampoco se observa unidad rítmica alguna y la medida de los versos es desigual (7, 10, 9, 8, 9 sílabas respectivamente). Son los denominados versos libres.

La fuerza del verso libre radica en las palabras y en el contenido de los versos, ya que carece de la fuerza sonora de las formas poéticas rimadas del capítulo anterior. Sin embargo, no debemos abusar de las metáforas e imágenes o utilizar un lenguaje rebuscado. En el siguiente poema encontrarás un manejo sencillo del lenguaje con metáforas simples, pero con un profundo mensaje:

DIBUJO

Del suelo de mi casa
he recogido un dibujito,
una diminuta palmera
de una isla perdida,
coloreada con rayas
desatinadas.
Desde su perfilada figura
se desdibuja la alegría.
Unas manitas de niño
pasearon lápices de colores.
Alegre se fue formando
esa palmera de amor.
Desde sus raíces me llega
una voz de inocencia.
Casi de ella se evapora
un aroma de fruta madura,
de sus hojas se desprenden
cristalinas gotas de rocío.
Es rosa como el corazón del pintor.
De sus límites salen ángeles con sus alas.

—LOLA

Otros autores prefieren un estilo de poema en el que no rima ningún verso con otro de su estrofa, pero sí respeta la medida y el patrón rítmico en función del número de sílabas que le corresponde dentro de la estrofa, entonces estamos hablando de lo que se conoce como **verso blanco.**

Nuevamente, lo veremos mejor con un ejemplo:

ABEJAS (FRAGMENTO)

Formando un gran enjambre, las abejas
construyen con destreza sus panales.
Allí tienen su casa y su refugio,
muy bien organizadas sus funciones,
pues todas las conocen a conciencia.
Debiéramos los hombres imitarlas
en ser más solidarios y amistosos.

—J.A.Carbonell

Como puedes observar, todos los versos son endecasílabos (11 sílabas), pero no riman en ningún caso. También es claro el patrón rítmico común en todos ellos, pues las sílabas tónicas coinciden en las mismas posiciones. Recuerda que es importante identificar las sinalefas para que el conteo de las sílabas sea adecuado:

For ❍	man ●	do un ❍	gran ❍	en ❍	**jam** ●	bre ❍	las ❍	a ❍	**be** ●	jas ❍
cons ❍	**tru** ●	yen ❍	con ❍	des ❍	**tre** ●	za ❍	sus ❍	pa ❍	**na** ●	les ❍
A ❍	**llí** ●	tie ❍	nen ❍	su ❍	**ca** ●	sa y ❍	su ❍	re ❍	**fu** ●	gio ❍
muy ❍	**bien** ●	or ❍	ga ❍	ni ❍	**za** ●	das ❍	sus ❍	fun ❍	**cio** ●	nes ❍
pues ❍	**to** ●	das ❍	las ❍	co ❍	**no** ●	cen ❍	a ❍	con ❍	**cien** ●	cia ❍
De ❍	**bié** ●	ra ❍	mos ❍	los ❍	**hom** ●	bres ❍	i ❍	mi ❍	**tar** ●	las ❍
en ❍	**ser** ●	más ❍	so ❍	li ❍	**da** ●	rios ❍	y a ❍	mis ❍	**to** ●	sos ❍

No olvides que para detectar si el poema tiene buen ritmo, hay que leerlo en voz alta, sentir los acentos, y si en algún punto el poema se corta, pierde el hilo musical, entonces hay que contar las sílabas, estudiar dónde está el corte y hacer las modificaciones oportunas. Utiliza el tambor como antes, te será de gran ayuda.

Pero hay que tener precaución, porque existen autores que abusan al respecto y que, ignorando por completo las reglas de la poesía, llaman poemas a una serie de ideas sin conexión y palabras sin sentido sólo porque a ellos les suenan bonito.

No todo arroz cocido es paella y no toda secuencia de palabras bonitas es poema.

A continuación te presento dos escritos en verso blanco. ¿Cuál de los dos consideras un verdadero poema?

• • • • • •

GOLONDRINA

Veo pasar una golondrina
ante mi ventana,
que siempre está abierta,
cuando surca los cielos
negra, rápida, apresurada.
Y siempre acabo preguntándome
dónde va
y cómo lo sabe.

Alas de una golondrina
que, volando por azar,
pasó junto a mi ventana
con su silueta imposible.
Decidme, mágicas alas,
en su volar, ¿quién la guía?
¿cómo sabe adónde va?

—J.A.Carbonell

Como puedes ver, Trofa tiene razón en que "*no todo arroz cocido...*" y vaya que no es suficiente llenar una hoja de papel con palabras bonitas para escribir poesía.

Cuando hablamos de ignorar las reglas, en realidad lo importante es saber en cuáles de ellas nos vamos a apoyar para escribir el poema y cuáles no serán utilizadas. Por ejemplo, podemos decidir escribir un poema sin rima, pero entonces hay que tener cuidado de que la rima no se *presente por accidente* (como en esto que te acabo de decir) porque la repetición aislada del sonido puede provocar distracción al lector si no se controla.

• • • • • •

SORDO

De setecientas maneras
puedo explicarte las cosas,
pero si tú no me escuchas
o prefieres canturrear,
por más que yo hable y repita,
y por mucho que lo intente,
me sentiré despreciado ← Rima consonante
desatendido, olvidado ←
y, entonces, querido amigo,
volveré a dejarte solo.

—J.A.Carbonell

En este poema claramente observamos cómo riman en consonante los versos 7 y 8. No parece tener mucho sentido rimar sólo dos versos en un poema que consta de 10. En estos casos, si queremos escribir en verso blanco, deberemos evitar las rimas aisladas.

Así pues, hay que tener especial cuidado con la rima involuntaria al final del verso, porque puede dar la sensación de que el poema esta mal diseñado (por decirlo de alguna manera).

¿Recuerdas cuando hablamos del manejo de la aliteración en el capítulo del ritmo? Debemos tener mucho cuidado en que las repeticiones sonoras sean parte del poema y no algo que aparezca de repente, como una liebre que salta y nos toma por sorpresa, desviando la atención de la lectura.

Me dijo José el agricultor:
—Se sem**bró** **bró**coli,
pero con mucho amor.

Al encontrar juntas las palabras "*sembró brócoli*" se produce la repetición "*bró-bró*" y nos olvidamos de lo que estábamos leyendo. Esta *repetición repentina* de los sonidos es conocida como **cacofonía** y debemos evitarla.

¿Le ayudarías a Trofa a detectar las cacofonías en el siguiente poema?

• • • • • •

SUEÑOS

Si sus sueños son preocupantes
espere a saber los míos,
yo sueño con elefantes
que se bañan en el río.

Sueño miles de micos
acostados en mi cama
y con cocodrilos
que comen mi mermelada.

—LEAFAR

Muchos autores modernos, ante el cansancio de rima, han optado por no rimar en absoluto. Sin embargo, algunos siguen haciéndolo, pero no utilizan la rima en todos sus versos, como antiguamente, sino que sólo empatan algún verso

suelto con otro, de forma que aporta musicalidad, sin llegar a cansar.

En este estilo de poesía se prefiere la **rima interna**, que se produce entre palabras que no tienen por qué estar al final del verso y generalmente se trata de rima asonante.

• • • • • •

Me dijo una vez un mago
que todo en el *mundo* es magia,
y yo me *pregunto*, entonces,
cuál será ese gran prodigio
de acostarme sin cenar
castigado por mis padres,
simplemente por romper
una fuente de bohemia.
Nada **mágico** yo veo
en tan **trágico** destino.

En efecto, aquí vemos que hay dos rimas diferentes en dos lugares del poema. En los versos 2 y 3 encontramos una rima asonante (*mundo*/*pregunto*); y en los versos 9 y 10 se presenta una rima consonante (**mágico/trágico**); pero ninguna de éstas se produce al final del verso. Es lo que llamamos rima interna, y se trata de un recurso con frecuencia utilizado por autores de verso blanco. Es de una gran belleza y es una técnica muy a tener en cuenta si queremos dotar de musicalidad al poema.

¿Crees que entre Trofa y tú puedan reconocer la rima interior del siguiente poema?

• • • • • •

LA LUNA

Mi niño me pidió la luna.
Se confundió, pensaba que era un globo.

No, cariño, la luna es una perla preciosa,
la más graciosa de las estrellas.
Dios la colocó en el lugar más exacto
para que todos la podamos contemplar.

Sirve para soñar a todos los niños,
para los enamorados, para los poetas,
para los hombres solitarios,
y los lobos le dedican su cantar.

Si tú te la llevas no podrás mirarla.
Y si sabes amarla, ella te hablará siempre.

—LOLA

También podemos optar por poemas que no cumplen con patrones métricos, pero que presentan rima (tanto interior como exterior) y ritmo.

• • • • • •

TODO ES RELATIVO

Me ahoga esta ignorancia en que me *encuentro*,	A
lucho buscando una salida y más me *pierdo*.	A'
Yo soy mucho más que carne y *hueso*,	A''
Tú eres mucho más que un ser humano,	B
Él es el Yo junto contigo,	C
Nosotros somos el conjunto indefinido,	C'
Vosotros sois el espejo del **Nosotros**,	D
Ellos ¡siempre son los **otros**!	D

—ARCOIRIS

Como has ido comprobando, finalmente, la forma del poema, su estilo, su distribución en versos y los recursos poéticos que aproveche son cuestiones que dependen exclusivamente de la elección del poeta. Ejercer la libertad a la hora de escribir poesía no le resta calidad a la misma, pero no olvides nunca que el buen poeta sabe siempre qué está escribiendo y por qué lo hace (un sentimiento basta para justificar la escritura de un poema). El formato de las estrofas o versos, la rima, el ritmo, la musicalidad, son instrumentos al servicio de la expresión artística del escritor. Si deseas escribir poesía, hazlo, pero no la desvirtúes ni trates de convertir cualquier bello pasaje literario en un poema.

Siéntete libre, joven amigo, pero sé consciente de que escribir poesía conlleva siempre un trabajo, un esfuerzo, y el respeto a unas normas.

CAPÍTULO ONCE

Fiesta de graduación

¡Hemos terminado! Ahora sólo nos resta graduarnos.

Debido al esfuerzo y persistencia que demostraste durante todos los ejercicios y por los lindos poemas que ya comienzas a escribir, LetraRoja Publisher te enviará a vuelta de correo un diploma de aprendiz de poeta.

Por favor envíanos una comunicación con tu nombre, tal como quieres que aparezca en el diploma, y la dirección postal a dónde enviarlo.

LetraRoja Publisher
PO BOX 770039
Orlando, Florida 32877-0039

A vuelta de correo recibirás tu diploma de graduación.

También quiero invitarte a que participes con nosotros en la revista Camagua. En ella tenemos una sección que se llama Lápices de Colores, que está reservada para publicar lo que escriben niños como tú, que han encontrado en la literatura una manera de expresarse. Puedes enviarnos tus trabajos a *revistacamagua@camagua.org.es*.

Antes de despedirnos quiero recordarte que apenas has dado los primeros pasos. Sigue leyendo poesía y sigue escribiendo. Sólo el tiempo y la práctica lograrán convertirte en un verdadero poeta.

• • • • • •

ACRÓSTICO DE DESPEDIDA

Ganaste la carrera literaria,
Resultaste magnífico estudiante
Ahora deberás en adelante
Dirigir este esfuerzo en forma diaria,
Un rato cada día, nada más.
Aprovecha las llaves del idioma,
Camagua pronto espera algún poema,
Invéntate un estilo y un esquema.
Obtendrás de Letra Roja un diploma:
Nuevo Aprendiz de Poeta serás.

—Leafar

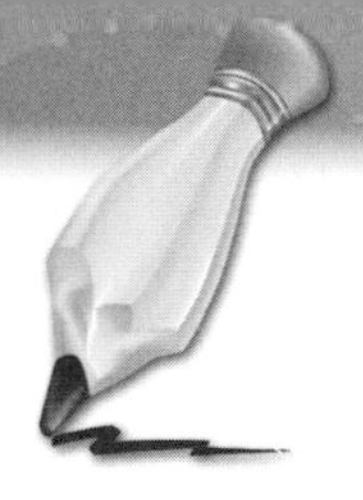

Epílogo

La infancia es la primera estrofa de la vida. Llega para iluminar la oscuridad prosaica de la existencia adulta. Por ello viven perennemente mujeres y hombres la nostalgia inacabable de sus propios albores ya extinguidos. Y dentro de sí llevan, de sí mismos memoriosos, la apelación que el poeta latino Juvenal, en el siglo primero de nuestra era, pronunció con emocionada exigencia en su Sátira Catorce (v.47): "Sumo respeto al niño se debe". Respeto responde al vocablo latino *reverentia*, que Berceo, el primer poeta de Castilla, introdujo en la lengua española. No sólo por ética humana. Porque en el niño, en sí mismo, en el pórtico de su vida, está como inscrita, aunque aún no formulada, la epopeya de los años futuros. Precisamente por esta razón llevan con frecuencia los niños en su alma la inclinación al ritmo, al embrujo de la rima, a la música interior de las palabras, que no necesitan, unas junto a otras, ni siquiera del tradicional arte de sus consonancias. Quizá nadie, como el niño, tan cerca de sus orígenes, pueda sentir talmente la fascinación de los versos. Pero se hace urgente abrirle pronto sus secretos, la razón de su nacer sonoro, el encanto profundo de hacer versos, y hasta el poder descubrir la personal naturaleza de ser poeta. A esta finalidad se ofrece, con visión profunda, "**Quiero ser Poeta**". Una posesión para siempre en la infancia.

—Dr. Alfonso Ortega Carmona

Director y fundador de la Cátedra de Poética "Fray Luis de León" de la Universidad Pontificia de Salamanca.

Glosario

acróstico

Dicho de una composición poética: Constituida por versos cuyas letras iniciales, medias o finales forman un vocablo o una frase.

adjetivo

Que califica o determina al sustantivo.

aliteración

Figura quc, mcdiantc la rcpctición dc foncmas, sobrc todo consonánticos, contribuye a la estructura o expresividad del verso.

amor

Sentimiento de afecto, inclinación y entrega a alguien o algo.

antología

Colección de piezas escogidas de literatura, música, etc.

apóstrofo

Signo ortográfico (') que indica la elisión de una letra o cifra.

arte

Manifestación de la actividad humana mediante la cual se expresa una visión personal y desinteresada que interpreta

lo real o imaginado con recursos plásticos, lingüísticos o sonoros.

artífice

Persona que tiene arte para conseguir lo que desea.

asonancia

Identidad de vocales en las terminaciones de dos palabras a contar desde la última acentuada, cualesquiera que sean las consonantes intermedias o las vocales no acentuadas de los diptongos. En los esdrújulos no se cuenta tampoco la sílaba penúltima.

asonante

Se dice de cualquier voz con respecto a otra de la misma asonancia. (Véase *asonancia*).

átona

Dicho de una vocal, de una sílaba o de una palabra: Que se pronuncia sin acento prosódico.

belleza (artística)

La que se produce de modo cabal y conforme a los principios estéticos, por imitación de la naturaleza o por intuición del espíritu.

cacofonía

Disonancia que resulta de la inarmónica combinación de los elementos acústicos de la palabra.

caligrama

Escrito, por lo general poético, en que la disposición tipográfica procura representar el contenido del poema.

capítulo

División que se hace en los libros y en cualquier otro escrito para el mejor orden y más fácil inteligencia de la materia.

connotar

Dicho de una palabra: Conllevar, además de su significado propio o específico, otro de tipo expresivo o apelativo.

consonancia

Identidad de sonido en la terminación de dos palabras desde la vocal que lleva el acento.

consonante

Se dice de cualquier voz con respecto a otra de la misma consonancia. (Véase *consonancia*).

crear

Establecer, fundar, introducir por vez primera algo; hacerlo nacer o darle vida, en sentido figurado.

crítica

Examen y juicio acerca de alguien o algo y, en particular, el que se expresa públicamente sobre un espectáculo, un libro, una obra artística, etc.

descifrar

Penetrar y declarar lo oscuro, intrincado y de difícil inteligencia.

describir

Representar a alguien o algo por medio del lenguaje, refiriendo o explicando sus distintas partes, cualidades o circunstancias.

diálogo

Obra literaria, en prosa o en verso, en que se finge una plática o controversia entre dos o más personajes.

diccionario

Libro en el que se recogen y explican de forma ordenada voces de una o más lenguas, de una ciencia o de una materia determinada.

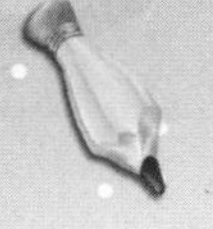

dislexia

Dificultad en el aprendizaje de la lectura, la escritura o el cálculo, frecuentemente asociada con trastornos de la coordinación motora y la atención, pero no de la inteligencia.

emoción

Alteración del ánimo intensa y pasajera, agradable o penosa, que va acompañada de cierta conmoción somática.

énfasis

Fuerza de expresión o de entonación con que se quiere realzar la importancia de lo que se dice o se lee.

entorno

Ambiente, lo que rodea.

errata

Equivocación material cometida en lo impreso o manuscrito.

escaramuza

Riña, disputa o contienda de poca importancia.

escena

Suceso o manifestación de la vida real que se considera como espectáculo digno de atención.

estribillo

Expresión o cláusula en verso, que se repite después de cada estrofa en algunas composiciones líricas, que a veces también empiezan con ella.

estrofa

1. Cada una de las partes, compuestas del mismo número de versos y ordenadas de modo igual, de que constan algunas composiciones poéticas. 2. Cada una de estas partes, aunque no estén ajustadas a exacta simetría.

evocar
Traer algo a la memoria o a la imaginación.

expresar
Manifestar con palabras, miradas o gestos lo que se quiere dar a entender.

fantasía
Facultad que tiene el ánimo de reproducir por medio de imágenes las cosas pasadas o lejanas, de representar las ideales en forma sensible o de idealizar las reales.

figura (**retórica**)
Cada uno de ciertos modos de hablar que se apartan de los más habituales con fines expresivos o estilísticos.

fluir
Dicho de una idea o de una palabra: Brotar con facilidad de la mente o de la boca.

hiato
1. Encuentro de dos vocales que se pronuncian en sílabas distintas. 2. Disolución de una sinalefa, por licencia poética, para alargar un verso.

imagen
Representación viva y eficaz de una intuición o visión poética por medio del lenguaje.

imaginación
Facultad del alma que representa las imágenes de las cosas reales o ideales.

impactar
Impresionar, desconcertar a causa de un acontecimiento o noticia.

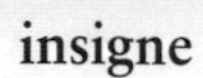

insigne

Célebre

inspiración

Efecto de sentir el escritor, el orador o el artista el singular y eficaz estímulo que le hace producir espontáneamente y como sin esfuerzo.

interpretar

Explicar o declarar el sentido de algo, y principalmente el de un texto.

inusual

No usual, infrecuente.

lenguaje

Conjunto de sonidos articulados con que el hombre manifiesta lo que piensa o siente.

lienzo

Tela preparada para pintar sobre ella.

matiz

Rasgo y tono de especial colorido y expresión en las obras literarias.

melancolía

Tristeza vaga, profunda, sosegada y permanente, nacida de causas físicas o morales, que hace que no encuentre quien la padece gusto ni diversión en nada.

melodía

Composición en que se desarrolla una idea musical, simple o compuesta, con independencia de su acompañamiento, en oposición a *armonía*, combinación de sonidos simultáneos diferentes, pero acordes.

metáfora

Tropo que consiste en trasladar el sentido recto de las voces a otro figurado, en virtud de una comparación tácita.

métrica

Arte que trata de la medida o estructura de los versos, de sus clases y de las distintas combinaciones que con ellos pueden formarse.

misterio

Cosa arcana o muy recóndita, que no se puede comprender o explicar.

monoestrófico

Perteneciente o relativo a la monóstrofe. (Véase *monóstrofe*).

monóstrofe

Composición poética de una sola estrofa o estancia.

monotonía

Uniformidad, igualdad de tono en quien habla, en la voz, en la música, etc.

nexo

Nudo, lazo.

onomatopeya

1. Imitación o recreación del sonido de algo en el vocablo que se forma para significarlo. 2. Vocablo que imita o recrea el sonido de la cosa o la acción nombrada.

oración

Gram. Palabra o conjunto de palabras con que se expresa un sentido gramatical completo.

originalidad

Que tiene, en sí o en sus obras o comportamiento, carácter de novedad.

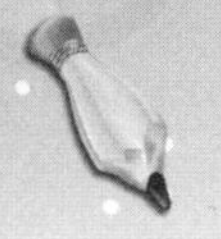

percibir

Recibir por uno de los sentidos las imágenes, impresiones o sensaciones externas.

plasmar

Moldear una materia para darle una forma determinada.

poema

Obra poética normalmente en verso.

poesía

Manifestación de la belleza o del sentimiento estético por medio de la palabra, en verso o en prosa.

poeta

Persona que compone obras poéticas y está dotada de las facultades necesarias para componerlas.

poetizar

Embellecer algo con el encanto de la poesía; darle carácter poético.

poliestrófico

Dícese del poema de más de una estrofa o estancia.

presto

Pronto, diligente, ligero en la ejecución de algo.

prosódico (acento)

Relieve que en la pronunciación se da a una sílaba de la palabra, distinguiéndola de las demás por una mayor intensidad o por un tono más alto.

pupila

Abertura circular o en forma de rendija de color negro, que el iris del ojo tiene en su parte media y que da paso a la luz.

reflexionar

Considerar nueva o detenidamente algo.

rima

Conjunto de los consonantes o asonantes empleados en una composición o en todas las de un poeta.

ritmo

Grata y armoniosa combinación y sucesión de voces y cláusulas y de pausas y cortes en el lenguaje poético y prosaico.

sentimiento

Estado afectivo del ánimo producido por causas que lo impresionan vivamente.

sílaba

Sonido o sonidos articulados que constituyen un solo núcleo fónico entre dos depresiones sucesivas de la emisión de voz.

sinalefa

Enlace de sílabas por el cual se forma una sola de la última de un vocablo y de la primera del siguiente, cuando aquel acaba en vocal y este empieza con vocal, precedida o no de h muda. A veces enlaza sílabas de tres palabras.

sustantivo

1. Nombre. 2. Clase de palabras que puede funcionar como sujeto de la oración.

textura

Estructura, disposición de las partes de un cuerpo, de una obra, etc.

tónica (sílaba)

La que tiene el acento prosódico.

transmitir

Trasladar, transferir.

verso

Palabra o conjunto de palabras sujetas a medida y cadencia, o solo a cadencia. Úsase también en sentido colectivo, por contraposición a prosa.

verso blanco

Verso suelto. (Véase *verso suelto*).

verso libre

El que no está sujeto a rima ni a metro fijo y determinado.

verso suelto

El que no forma con otro rima perfecta ni imperfecta.

vocabulario

Conjunto de palabras de un idioma.